Coordenação geral e seleção de textos
Carmen Lucia Campos e Nílson Joaquim da Silva

LIÇÕES DE GRAMÁTICA PARA QUEM GOSTA DE LITERATURA

7ª impressão

PANDA BOOKS

André Laurentino

Artur Azevedo

Domingos Pellegrini

Frei Betto

Ignácio de Loyola Brandão

Ivan Angelo

LIÇÕES DE GRAMÁTICA PARA QUEM GOSTA DE LITERATURA

Ivan Jaf

João Anzanello Carrascoza

Lourenço Diaféria

Luis Fernando Verissimo

Machado de Assis

Marcelo Duarte

Moacyr Scliar

Paulo Leminski

Rachel de Queiroz

Raul Drewnick

Ricardo Ramos

Rosana Hermann

Ruy Castro

Walcyr Carrasco

Direção editorial
Marcelo Duarte
Patth Pachas
Tatiana Fulas

Coordenação editorial
Vanessa Sayuri Sawada

Assistentes editoriais
Henrique Torres
Laís Cerullo
Guilherme Vasconcelos

Projeto gráfico
Ana Miadaira
Luciana Porto Alegre Steckel

Diagramação
Kiki Millan

Ilustrações
Marcelo Pacheco

Revisão
Alessandra Miranda de Sá
Cristiane Goulart
Telma Baeza G. Dias

Impressão
PifferPrint

CIP – BRASIL. CATALOGAÇÃO NA FONTE
SINDICATO NACIONAL DOS EDITORES DE LIVROS, RJ

Lições de gramática para quem gosta de literatura /
Carmen Lucia da Silva Campos e Nílson Joaquim da Silva (orgs.).
1ª ed. — São Paulo: Panda Books, 2007.

ISBN 978-85-7695-040-0

1. Língua Portuguesa — Crônica.
I. Campos, Carmen Lucia da Silva. II. Silva, Nílson Joaquim da.

06-3311 CDD: 869.98
CDU: 821.134.3 (81)-8

2023

Um selo da Editora Original Ltda.
Rua Henrique Schaumann, 286, cj. 41
05413-010 – São Paulo – SP
Tel./Fax: (11) 3088-8444
edoriginal@pandabooks.com.br
www.pandabooks.com.br
Visite nosso Facebook, Instagram e Twitter.

NOSSA PÁTRIA, NOSSA LÍNGUA

A vida não me chegava pelos jornais nem pelos livros.
Vinha da boca do povo na língua errada do povo.
Língua certa do povo...

Manuel Bandeira — Evocação do Recife

Até bem pouco tempo atrás, usar corretamente a língua portuguesa era decorar e saber empregar regras complicadas, dominar um vocabulário culto, falar difícil e escrever mais difícil ainda. Nas escolas, a chamada gramática normativa reinava soberana, ditando o "certo" a ser ensinado e determinando que coubesse ao professor "consertar" a fala e a escrita dos alunos.

No mundo atual, em tempos de internetês e de globalização, em que — pelo menos teoricamente — se prega o respeito à diversidade, o combate aos preconceitos e se cultua a pluralidade, muitos já pensam de maneira diferente e as próprias definições de certo e errado, pelo menos no que diz respeito aos estudos da língua, tornaram-se alvo de controvérsias. A questão, hoje, não é falar ou escrever deste ou daquele modo, mas saber quais formas de fala e de escrita, qual português, utilizar nas diversas situações sociais de comunicação.

Mas o que têm a dizer os escritores sobre isso tudo? Esta obra reúne vinte textos de alguns dos mais expressivos autores brasileiros abordando a utilização da palavra — "a senha da vida, a senha do mundo", como escreveu o poeta Carlos Drummond de Andrade — e suas relações com a língua, a literatura e a vida. Da defesa ardorosa das normas do português formal até a liberdade total da língua roçada pela poesia ou a paixão virtual pelas gírias da internet, convidamos você para lições bem fora dos padrões...

Lições de gramática para quem gosta de literatura.

SUMÁRIO

MOACYR SCLIAR

Escolas devem ensinar gramática ou vida?
E se alguém lhe afirmasse que gramática
é vida, ou mais, que vida é pontuação?
Não acredita? Então, mesmo reticente,
veja o que Moacyr Scliar tem a dizer!
E ponto-final.

AI, GRAMÁTICA. AI, VIDA.

O que a gente deve aos professores!

Este pouco de gramática que eu sei, por exemplo, foram Dona Maria de Lourdes e Dona Nair Freitas que me ensinaram. E vocês querem coisa mais importante do que gramática? *La grammaire qui sait régenter jusqu'aux rois* — dizia Molière: a gramática que sabe reger até os reis, e Montaigne: *La plus part des ocasions des troubles du monde sont grammairiens* — a maior parte das ocasiões de confusão no mundo vem da gramática.

Há quem discorde. Oscar Wilde, por exemplo, dizia de George Moore: *escreveu excelente inglês, até que descobriu a gramática.* (A propósito, de onde é que eu tirei tantas citações? Simples: tenho em minha biblioteca três livros contendo exclusivamente citações. Para enfeitar uma crônica, não tem coisa melhor. Pena que os livros são em inglês. Aliás, inglês eu não aprendi na escola. Foi mais com a revista *MAD* e outras que vocês podem imaginar.)

Discordâncias à parte, gramática é um negócio importante e gramática se ensina na escola — mas quem, professoras, nos ensina a viver? Porque, como dizia o Irmão Lourenço, *no schola sed vita* — é preciso aprender não para a escola, mas para a vida. (A propósito — de novo — aí não deveria se usar o acusativo, em vez do dativo? Latinistas: cartas para a redação.)

Ora, dirão os professores, vida é gramática. De acordo. Vou até mais longe: vida é pontuação. A vida de uma pessoa é balizada por sinais ortográficos. Podemos acompanhar a vida de uma criatura, do nascimento ao túmulo, marcando as diferentes etapas por sinais de pontuação.

Querem ver? Olhem esta biografia.

INFÂNCIA: A PERMANENTE EXCLAMAÇÃO

Nasceu! É um menino! Que grande! E como chora! Claro, quem não chora não mama!

Me dá! É meu!

Ovo! Uva! Ivo viu o ovo! Ivo viu a uva! O ovo viu a uva!

Olha como o vovô está quietinho, mamãe!

Ele não se mexe, mamãe! Ele nem fala, mamãe!

Ama com fé e orgulho a terra em que nasceste! Criança — Não verás nenhum país como este!

Dá agora! Dá agora, se tu és homem! Dá agora, quero ver!

A PUBERDADE: A TRAVESSIA (ou O TRAVESSÃO)

Papai, eu queria — não, não é que eu queria — bom, tu sabes eu precisava — bom, não é bem isto — bom, eu pensei — bom, deixa, agora não posso falar, amanhã quem sabe eu — bom —.

— O que eu acho, Jorge — não sei se tu também achas — o que eu acho — porque a gente sempre acha muitas coisas — o que eu acho — não sei — tu és irmão dela — mas o que eu estive pensando — pode ser bobagem — mas será que não é de a gente falar — não, de eu falar com a Alice — .

— Alice tu sabes — tu me conheces — a gente se dá — a gente conversa — tudo isto Alice — tanto tempo — eu queria te dizer Alice — é difícil — a gente — eu não sei falar direito.

JUVENTUDE: A INTERROGAÇÃO

Mas quem é que eu sou afinal? E o que é que eu quero? E o que que vai ser de mim? E Deus, existe? E Deus cuida da gente? E o anjo da guarda, existe? E o diabo? E por que é que a gente se sente tão mal?

E o que é isto que me saiu aqui, Jorge? Tu achas que isto é doença pegada, Jorge? Mas ela não era limpinha? Ai, Jorge, será que isso pega? Tu não achas que eu não deveria chegar perto da Alice? Quem sabe eu vou no médico, Jorge? Será que ele não vai cobrar muito caro?

Mas por que é que tem pobres e ricos? Por que é que uns têm tudo e outros não têm nada? Por que é que uns têm auto e outros andam a pé? Por que é que uns vão viajar e outros ficam trabalhando?

AS PAUSAS RECEOSAS (RECEOSAS, VÍRGULA, CAUTELOSAS) DO JOVEM ADULTO

Estamos, meus colegas, todos nós, hoje, aqui, nesta festa de formatura, nesta festa, que, meus colegas, é não só nossa, colegas, mas também, colegas, de nossos pais, de nossos irmãos, de nossas noivas, enfim, de todos quantos, nas jornadas, penosas embora, mas confiantes sempre, nos acompanharam, estamos, colegas, cônscios de nosso dever, para com a família, para com a comunidade, para com esta Faculdade, tão jovem, tão batalhadora, mas ao mesmo tempo tão, colegas, tão.

É claro, Jorge, eu quero casar com Alice, é claro, aliás, entendo tua preocupação, ela é tua irmã, vocês viveram sempre juntos, aliás, nós três, sempre juntos, mas Jorge, quero que compreendas.

Lógico, senhor diretor, o senhor, naturalmente, tem toda a razão, senhor diretor, estou perfeitamente, mas perfeitamente, de acordo, quero que o senhor, senhor diretor, me compreenda, o Jorge, naturalmente, é meu cunhado, mas senhor diretor, se for para o bem da empresa, não vejo por que, senhor diretor, dada a atual situação, que, todos sabemos, é de, embora passageira, severa retração, não vejo por que, naturalmente com toda a diplomacia, não dispensar os serviços dele, já que, não é,

Ora, caros companheiros de clube, todos aqui conhecem, certamente, minha posição, que não é de hoje, mas é de sempre, da infância, até, eu diria, todos conhecem, repito, minha posição, que é bem clara, em relação a certos problemas sociais, pois eu sempre tenho dito, que se pode pedir, se pode reivindicar, se pode, até exigir, mas, sempre, dentro dos limites do razoável, do senso comum, sem radicalismo, sem paixões, porque, afinal,

O HOMEM MADURO. NO PONTO.

Uma cambada de ladrões. Têm de matar.

Matar. Pena de morte.

O Jorge também. Cunhado também. Tem de matar. Esquadrão da morte. E ponto final.

No meu filho mando eu. E filho meu estuda o que eu quero. Sai com quem eu quero. Lê o que eu quero. Frequenta os clubes que eu mando.

Tu ouviste bem, Alice. Não quero discutir mais este assunto. E ponto-final.

Chiou, boto, pra rua. Não tem conversa. É pão pão queijo queijo. É lé com lé cré com cré. Cada macaco no seu galho. Na minha firma mando eu. No clube que presido mando eu. E na minha casa mando eu. E ponto-final.

(UM PARÊNTESE)

(Está bem, Luana, eu pago, só não faz escândalo.)

O FINAL... RETICENTE...

Sim, o tempo passou... E eu estou feliz... Foi uma vida bem vivida, esta... Aprendi tanta coisa... Mas das coisas que aprendi... A que mais me dá alegria... É que hoje eu sei tudo... Sobre pontuação...

LUIS FERNANDO VERISSIMO

Está cansado de ser corrigido porque escreve como fala, ignorando as diferenças entre a língua escrita e a falada? Então, está na hora de conhecer o Odacir que, além de falar como se escreve, criou um modo todo seu de indicar os sinais de pontuação.

SFOT POC

Chamava-se Odacir e desde pequeno, desde que começara a falar, demonstrara uma estranha peculiaridade. Odacir falava como se escreve. Sua primeira palavra não foi apenas "Gugu". Foi:

— Gu, hífen, gu…

Os pais se entreolharam, atônitos. O menino era um fenômeno. O pediatra não pôde explicar o que era aquilo. Apenas levantou uma dúvida.

— Não tenho certeza que "gugu" se escreve com hífen. Acho que é uma palavra só, como todas as expressões desse tipo. "Dadá" etc.

— Da, hífen, dá — disse o bebê, como que para liquidar com todas as dúvidas.

Um dia, a mãe veio correndo. Ouvira, do berço, o Odacir chamando:

— Mama sfot poc.

E, quando ela chegou perto:

— Mama sfotoim poc.

Só depois de muito tempo os pais se deram conta. "Sfot poc" era ponto de exclamação e "sfotoim poc", ponto de interrogação.

Na escola, tentaram corrigir o menino.

— Odacir!

— Presente sfot poc.

— Vá para a sala da diretora!

— Mas o que foi que eu fiz sfotoim poc.

Com o tempo e as leituras, Odacir foi enriquecendo seu repertório de sons. Quando citava um trecho literário, começava e terminava a citação com "spt, spt". Eram as aspas. Aliás, não dizia nada sem antes prefaciar com um "zit". Era o travessão. Foi para a sua primeira namorada que ele disse certa vez, maravilhado com a própria descoberta:

— Zit Marilda plic (vírgula) você já se deu conta de que a gente sempre fala diálogo sfotoim poc.

— O quê?

— Zit nós sfot poc. Tudo que a gente diz é diálogo sfot poc.

— Olhe, Odacir. Você tem que parar de falar desse jeito. Eu gosto de você, mas o pessoal fala que você é meio biruta.

— Zit spt spt biruta spt spt sfotoim poc.

— Viu só? Você não para de fazer esses ruídos. E ainda por cima, quando diz "sfotoim", cospe no meu olho.

O namoro acabou. Odacir aceitou o fato filosoficamente, aproveitando para citar o poeta.

— Zit spt spt. Que seja eterno enquanto dure poc poc poc spt spt.

Poc, poc, poc eram as reticências.

Odacir era fascinado por palavras. Tornou-se o orador da sua turma e até hoje o seu discurso de formatura (em Letras) é lembrado na faculdade. Como os colegas conheciam os hábitos do Odacir mas os pais e os convidados não, cada novo som do Odacir era interpretado, aos cochichos, na plateia:

— Zit meus senhores e minhas senhoras poc poc.

— Poc, poc?

— Dois pontos.

— Que rapaz estranho...

— A senhora ainda não viu nada...

Quando lia um texto mais extenso, Odacir acompanhava a leitura com o corpo. As pessoas viam, literalmente, o Odacir mudar de parágrafo.

— Mas ele parece que está diminuindo de tamanho!

— Não, não. É que a cada novo parágrafo ele se abaixa um pouco.

Quando chegava ao fim de uma folha, Odacir estava quase no chão. Levantava-se para começar a ler a folha seguinte.

— Colegas sfot poc Mestres sfot poc Pais sfot poc. No limiar de uma era de grandes transformações sociais plic o que nós plic formandos em Letras plic podemos oferecer ao mundo sfotoim poc.

A grande realização de Odacir foi o trema. Para interpretar o trema, Odacir não queria usar poc, poc, que podia ser confundido com dois pontos. Poc plic era ponto e vírgula. Um spt só era apóstrofo. Como seria trema? Odacir inventou um estalo de língua, algo como tlc, tlc. Difícil de fazer e até perigoso. Ainda bem que tinha poucas oportunidades de usar o trema.

*

Odacir, apesar de formado em Letras, acabou indo trabalhar no escritório de contabilidade do pai. Levava uma vida normal. Lia muito e sua conversa era entrecortada de spts, spts, citações dos seus autores favoritos. Mesmo assim casou — na cerimônia, quando Odacir disse "Aceito sfot poc", o padre foi visto discretamente enxugando um olho — e teve um filho. E qual não foi o seu horror ao ouvir o primeiro som produzido pelo recém-nascido:

— Zzzwwwwuauwwwuauzzzz!

— Zit o que é isso sfotoim e sfot poc.

— Parece — disse a mulher, atônita — o som de uma guitarra elétrica.

O filho de Odacir, desde o berço, fazia a sua própria trilha sonora. Para a tristeza do pai, produzia até efeitos especiais, como câmara de eco. Cresceu sem dizer uma palavra. Até hoje anda por dentro de casa reverberando como um sintetizador eletrônico. É normal e feliz, mas o único som mais ou menos inteligível — pelo menos para os seus pais — que faz é "tump tump", imitando o contrabaixo elétrico.

— Zit meu filho poc poc poc. Meu próprio filho poc poc poc — diz Odacir.

Poc, poc, poc.

FREI BETTO

Não apenas regras, mas também curiosidades sobre a língua. A arte de bem falar e escrever revelada por um professor que, além de descortinar o mundo dos livros, despertava vocações. *Você só não será escritor se não quiser*, disse ele ao aluno Carlos Alberto. E a profecia se cumpriu.

LÍNGUA PÁTRIA

Padre Boaventura talhava as boas regras da língua pátria em nossa fala e escrita. Graças à sua didática, aos poucos a oração decifrava-se aos nossos olhos: sujeito, verbo, objeto; por que escrever de um modo e não de outro; subordinação da oração a um período; nominativo e acusativo...

De crase, aprendi mais com as piadas do Hildebrando:

— Crave a crase nas mulheres. Elas gostam. Nos homens, nem pensar.

Assim, não mais esqueci que "a pé" não tem crase, pois "pé" é do gênero masculino, mas "à moda" tem, por ser do gênero feminino.

Divertia-me com os palíndromos. Ovo e Ana são os mais simples. Escritos da direita para a esquerda ou vice-versa resultam sempre na mesma palavra. Acaiaca, nome indígena dado a um dos edifícios do centro da cidade, também não era tão complexo quanto "Roma me tem amor", "Oto come mocotó", "luz azul", "ato idiota", "socorram-me, subi no ônibus em Marrocos" e "Luza Rocelina, a namorada do Manuel, leu na *Moda da Romana*: Anil é cor azul".

O professor gostava de curiosidades. "Pernambuco" tem dez letras e nenhuma repetida. Desafiava-nos a citar dez frutas sem a letra *a*. Pêssego, figo e coco vinham logo à lembrança, mas as demais... Ensinava-nos a estrutura da redação: flexão, função, advérbio, preposição e conjunção, concordância, regência, colocação, pontuação.

— Há um grave defeito na fala dos mineiros — alertava ele, que era da terra. — Temos mania de comer as sílabas. Outrora era Vossa Mercê, abreviado para Vossemecê, Vosmecê, Mecê, Você, Ocê, Cê. Nessa toada, em breve estaremos pronunciando apenas o acento circunflexo...

De todos os professores naquele colégio, é do padre Boaventura que guardo as melhores recordações. Alto, testa larga prenunciando-lhe a calvície, destacava-se pelo modo afável com que tratava os alunos, com uma paciência sem reservas. Fazia-nos perder o medo dos livros; familiarizava-nos com os autores; ensinava-nos a distinção entre as correntes e os gêneros literários. Sabia que o melhor caminho para o aprendizado do português é o hábito da leitura, e não infindáveis regras gramaticais, que entram por um ouvido, saem pelo outro, sem nunca chegar à fala e à escrita.

Quase toda semana ele nos exigia, como dever de casa, a tarefa de preparar redações: crônicas, contos, cartas ou desenvolver um tema insólito como "Uma sombra na parede". Assim, exercitava a nossa criatividade, sobretudo a imaginação, e induzia-nos a ler Machado de Assis, Eça de Queiroz, Erico Verissimo, Graciliano Ramos, Jorge Amado e outros autores, atentos não só ao enredo da história, mas também ao modo como eles escreviam.

Padre Boaventura ensinava-nos a escrita como arte. Prosa ou poesia? As duas, dizia, desde que não se confunda poesia com verso ou rima:

— Não é uma questão de forma. Pé, metro, ritmo ou cadência não são imprescindíveis. Trata-se de uma questão psicológica. A poesia é criação; a prosa, construção. A poesia é explosão, condensação, ocultação e desvelamento. A prosa é decantação, enlace, tessitura e deslocamento. A poesia é foto; a prosa, cinema. Na poesia as palavras nascem do instante da expressão; na prosa, são desarquivadas da memória e criteriosamente enfileiradas na narrativa. Na poesia, não há ponte entre palavra e pensamento; pensamento é palavra e palavra é pensamento. Na prosa, as palavras são empilhadas como tijolos numa construção e, em seguida, transformadas em cômodos. Na poesia, a palavra é pedra preciosa, lapidada até ficar transparente. Na prosa, as palavras são elos de um colar. Encontra-se poesia numa única palavra ou até mesmo numa sílaba. A prosa é frase. Mas poesia e prosa não se excluem. Tanto melhor a prosa quanto mais contém poesia.

Naqueles idos, os adolescentes letrados, muito antes de concluir o ensino médio, inquietavam-se por descobrir a própria vocação. Essa sina incutia-nos a ideia de que todo homem está predestinado a um ofício. Homem, a mal dizer, já que, em Minas, tinham-se as prendas domésticas como vocação natural das mulheres que, quando muito, distraíam-se como professoras antes de contrair núpcias, como foi o caso de minha mãe.

A vocação, como a fé, era um mistério, um chamado de Deus que, no entanto, os estudos desvelavam, bem como a atenta observação de precedentes familiares. Daí ninguém estranhar que um filho de advogado, como Nando, abraçasse a carreira do pai, como se certos pendores nos fossem transmitidos pelos invisíveis veios da árvore genealógica. Por essa razão, minha primeira manifestação vocacional espelhou-se em meu tio Paulo, arquiteto. O prazer de armar casas de cartolina ensejou-me tal veleidade, logo sucedida pelo ofício paterno e, em seguida, pelo jornalismo, profissão que meu pai também sempre exerceu.

Não foi o gosto pela leitura que me suscitou o exercício da escrita, como é hábito. Ao contrário, o prazer de escrever aproximou-me dos livros. Dona Derci Passos fez-me tomar consciência, aos meus 8 anos, da propensão às letras. Ao comentar, no segundo ano primário, um maço de composições (que bela expressão para qualificar redações!), deixou a minha por último. Cobriu-a de elogios e advertiu a classe:

— Vocês deveriam fazer como o Carlos Alberto. Ele mesmo redige as composições dele. Não pede que os pais façam por ele.

Descobrir que meus colegas dependiam dos pais surpreendeu-me mais que ser destacado como exemplo. Porém, o louvor da mestra despertou em mim energias perenes.

Eu tinha 11 anos quando o professor Boaventura esperou-me à saída da classe. Naquela aula, ele havia comentado as redações entregues na semana anterior. Apesar de erros de sintaxe, a minha figurava entre as que receberam notas altas.

— Carlos — disse-me ele —, você só não será escritor se não quiser.

LOURENÇO DIAFÉRIA

Para explicar o significado de uma palavra que o filho desconhece, o pai, embaraçado, não sabendo bem como defini-la ou como lidar com a situação, tenta vários caminhos. Todos sem sucesso. Aí deixa a teoria de lado e parte para a prática...

NUNCA DEIXE SEU FILHO MAIS CONFUSO QUE VOCÊ

De manhã, na copa. O pai mexe o café na xícara. O filho caçula vem da sala, dispara:

— Pai, o que é genitália?

O homem volta-se:

— Ge… o quê?

— Genitália.

— Onde é que você tirou isso, da sua cabeça?

— Tá no jornal, pai.

— Genitália, no jornal? Bem, esse assunto não é comigo agora. Já estou atrasado pro trabalho. Cadê sua mãe? Rita! Ritinhaaaaa! Onde é que essa mulher se enfiou? Rita, venha ouvir aqui o que seu filho está aprontando.

Dona Rita desce esbaforida:

— Algum problema, Gervásio?

— Problema nenhum. O garoto está apenas querendo saber o que é genitália. Explique pra ele. Estou de saída.

— Genitália? Eu? Isso é conversa de homem pra homem. Vai dizer que você não sabe?

— Saber eu sei, lógico. Mas há coisas que a gente sabe o que é na teoria, mas fica difícil de explicar na prática.

— Deixa de bobagem.

— Tá bom. Depois, se eu pegar trânsito, quero só ver.

— Pode deixar, pai. Não precisa ficar discutindo você e a mamãe por causa de uma palavra. Eu pergunto pra tia da escola.

— Tá louco? A tia pode pensar mal da gente. Deixa comigo. Presta atenção: genitália é o mesmo que partes pudendas. Genitália é uma coisa muito antiga. Já existia no tempo do seu bisavô. No século passado, quando seu bisavô estava vivo, as pessoas tinham pudor. Elas ocultavam do público certas partes do corpo. Chegavam até ao exagero. As partes que ficavam mais resguardadas formavam, exatamente, a genitália. A genitália eram as partes pudendas.

— O umbigo era genitália, pai?

— Não. Na verdade, não era. Vou tentar explicar melhor. As pessoas tinham vergonha de mostrar o corpo. E uma certa parte do corpo era reservada ao extremo. Não aparecia nem em filme francês. As pessoas chamavam esse território misterioso de vergonhas. Isso é que é a genitália moderna.

— Bumbum é genitália, pai?

— Não. Acho que não estou sendo muito claro. Ritinha, você não quer dar uma mão?

— Não. Assuma.

— Bom, vou pras cabeças. Ahnnn. Hummmm. Abaixe as calças. Mais. Até os tornozelos. Isso. Pronto, tá aí a genitália.

— O umbigo?

— No térreo do umbigo. Que é que você vê embaixo do umbiguinho?

— Pô, pai. Vai dizer que o senhor não sabe o que é isso? É meu bingolim, pai.

— Tá aí. O bingolim é a genitália do homem.

— Puxa, o senhor podia ter falado antes.

— Na vida, às vezes é preciso usar eufemismos. Por exemplo, a genitália da mulher tem um nome delicado, leve, ágil. Sabe o que estou querendo dizer, não sabe? Começa com *b*.

— Barata da vizinha?

— Não, filho. Borboleta.

IGNÁCIO DE LOYOLA BRANDÃO

Poblema ou pobrema? Você deve ter respondido, sem problemas, mas certamente já teve dúvidas ao falar ou escrever uma ou outra palavra. Nessas situações, o dicionário é sempre o melhor aliado. Já a personagem do texto tem um jeito bem peculiar de resolver as questões de vocabulário.

POBLEMA OU POBREMA?

Quantas vezes já disse que um cronista não precisa de inspiração? Precisa de amigos e de olhos e ouvidos abertos. Uma cidade como São Paulo está cheia de assuntos em cada canto. Eles ficam à espreita e nos agarram pelas pernas. Há quem procure desvencilhar-se, mas há quem puxe o laço e prenda o tema. Depois, é sentar-se diante do computador e tentar fazer com que a crônica reflita o cotidiano da cidade.

Passei por uma esquina, onde um sujeito alto abraçava fortemente uma moreninha baixa. Parecia não querer largar mais e tive a sensação de que a moça estava perdendo o fôlego. Será que o abraço prolongado e forte estava a incomodá-la? O que fazer? Logo outras pessoas pararam, a observar. Nos entreolhamos. Seria o caso de intervir? O sujeito estava-se excedendo? Mas a moça não pedia socorro, não gritava, apenas mostrava os olhos arregalados. O grupo em torno tinha aumentado. O paulistano é curioso. Finalmente, o grandão largou a moça, que quase arriou e olhou para ele com os olhos mais ternos do mundo. Então, ele perguntou:

— Gostou?

E ela, deslumbrada:

— Melhores, impossível!

Foi o plural mais esquisito, porém o mais significativo que já ouvi na vida. Dizia tudo, repleto de gratidão, prazer, alegria e felicidade. Quem sabe tenha sido para contar que ali, naquela esquina, ela teve orgasmo múltiplo.

Dia desses, me telefonou um amigo, Gilberto Lehfeld, o que foi diretor da CET. Vez ou outra, ele me conta histórias. Muita coisa de trânsito que saiu aqui me foi passada por ele. Gilberto estava apressado: "Preciso te contar logo uma história maravilhosa". Ele tem uma parente que é professora na periferia. Mulher que todos os dias toma o ônibus e segue para sua escola. Ela tem sorte de apanhar a condução em um horário que não é de pico, portanto dá para sentar-se com certa comodidade.

Um dia, ela estava absorta olhando a mesma paisagem monótona e feia dos subúrbios: casas inacabadas, espeluncas com uma mesa de bilhar debaixo de um puxado, mercadinhos rodeados por grades, água de serventia correndo pelo meio de ruas sem calçamento. Então, duas mulheres entraram e sentaram-se no banco da frente. A mais moça dizia:

— Ando tão preocupada.

— Com o que, minha flor?

— Com duas palavras.

— Que coisa, minha flor! Cada vez você tem uma palavra que te deixa perturbada. Que palavras são essas que te perturbam tanto?

— Poblema e pobrema.

— Não acredito que você não sabe.

— Não sei e já perguntei a um mundo de gente. Tem quem me diz que é probema. Como é que a gente faz para descobrir o que as palavras querem dizer?

— Sei lá! Perguntar para um professor?

— Vou ter de ir a um grupo escolar?

— Por sorte, eu sei o que quer dizer poblema e pobrema.

— Jura? Por que não me disse?

— Ia dizer. É tão fácil.

— Diz logo, mulher.

— Minha flor, poblema é quando você tem um poblema em casa. Com o marido, com os filhos, com a mãe, com uma parente. Aí é poblema.

— E pobrema?

— É pobrema de escola. Aquelas contas que as professoras dão para a gente fazer. Quanto mais difícil, maior o pobrema. Entendeu?

— Entendi. E por que não pensei nisso? Fiquei com um pobrema na cabeça e não precisava. Não era pobrema, era poblema. Por que esse era um poblema, não?

Virou-se para a janela, feliz da vida, contente por ter decifrado o mistério das palavras.

JOÃO ANZANELLO CARRASCOZA

Será que conversando a gente realmente se entende? Tia Alda acreditava no poder das palavras para resolver qualquer conflito entre as pessoas, tão diferentes entre si como vogais e consoantes. Só que o maior impasse de sua vida teve um final inesperado.

A VOGAL A

Tia Alda era um mistério para mim, menina tímida, de pouca conversa. Tinha o dom de encantar com as palavras. Qualquer mal-entendido entre os parentes, lá vinha ela, por vontade própria, ou convocada com urgência, para colocar as coisas em ordem. Se um conflito avultava, tia Alda o reduzia; se o rio familiar transbordava de intrigas, ela o devolvia à calma de suas nascentes; se o vento da discórdia soprava, ela o recolhia com a agilidade de quem caçava borboletas.

Lembro-me de uma de suas proezas que mais me impressionaram. Sem sabermos o motivo, uma de nossas vizinhas, um dia, desentendeu-se com o marido: pegou uma faca, de repente, e saiu em correria pelo quintal atrás dele, ameaçando matá-lo. Era um caso perigoso porque a mulher usava habilmente facas, facões e machadinhas: degolava frangos para outras donas de casa, matava leitoas e limpava peixes a pedido dos homens do bairro. O marido, encurralado entre o tanque e a jabuticabeira, tentava se safar e suplicava para que ela o poupasse.

Alguém chamou tia Alda às pressas. Eu estava na varanda de casa, apavorada, quando ela voltou da vizinha com a faca na mão, o rosto sereno. Minha mãe, pasma com aquele milagre, perguntou-lhe:

— Deus, como você conseguiu?

— Com paciência! — respondeu tia Alda.

— Sim, mas qual é o segredo?

— O segredo está nas palavras.

Nessa época, eu aprendia a ler e a escrever e me peguei imaginando quais palavras ela usara para desarmar a vizinha e conseguir a sua rendição.

Então, uma tarde, na escola, depois de soar a campainha anunciando o fim das aulas, demorei para sair e, ao fazê-lo, umas meninas pararam ao portão e me impediram a passagem. Pedi educadamente que me deixassem passar. Negaram-se. E, como tentei escapar à força, empurraram-me de lá para cá, beliscaram-me e só não me bateram porque um inspetor viu a provocação e veio em meu socorro. Cheguei arrasada em casa, as marcas de arranhões nos braços, os olhos vermelhos. De nada valeu minha mãe tentar me extrair a verdade, eu me recolhera num mutismo de aço. Aborrecida com minha teimosia, telefonou para a irmã, pedindo-lhe que viesse falar comigo.

Minutos depois, ouvi tia Alda bater à porta de meu quarto.

— Posso entrar? — perguntou.

Já que eu não respondia nem sim nem não, ela girou a maçaneta, entrou, mansamente, e se sentou ao pé da cama. Não disse nada e se manteve assim um tempão. Em vez de me sentir acuada, animei-me a falar e pensei que seu segredo não estava nas palavras, mas em seu silêncio. Contei-lhe, então, aos pedaços, o que me sucedera. Ao relembrar a humilhação de que fora vítima, voltei a soluçar. Como podia existir gente como aquelas meninas?

Depois de meu desabafo, ela se levantou; vendo minha mochila escolar, pegou um caderno e o folheou por longo tempo, como se não encontrasse o que me dizer. Seria a primeira derrota dela e me senti duplamente triste em imaginar que meu ídolo cairia diante de meus pés — e por minha causa. Mas, de repente, ela fechou o caderno, suspirou e perguntou se eu sabia a diferença entre vogais e consoantes, o que me decepcionou ainda mais; eu precisava de sua ajuda e desejava experimentar plenamente em mim o seu milagre.

Virei o rosto e me recusei a responder, não queria falar de nada que lembrasse a escola onde eu, havia pouco, provara aquela lição dolorosa. Aí ela disse que o mundo era como o alfabeto, feito de vogais e consoantes. As vogais eram sons que nasciam quando o ar saía livremente pela nossa boca. Mas as consoantes não: os lábios, os dentes, a língua e o palato criavam obstáculo para a passagem do ar quando a gente as pronunciava.

Eu era uma vogal e tentara passar livremente pelo portão, mas as meninas, consoantes, haviam me impedido. E se existissem apenas vogais, ou só consoantes, o mundo teria de ser escrito de outra maneira; o bonito era que podíamos fazer inúmeras combinações de umas com as outras.

Conforme tia Alda falava, comecei a pensar nas pessoas que eu conhecia, a comparar uma das garotas balofas com a letra B, o inspetor alto e magro que me socorrera com a letra I, a minha rechonchuda prima com a letra O, e, assim, fui me alegrando a cada vez que encontrava no alfabeto uma vogal ou consoante que lembrava algum conhecido.

Agora, tantos anos depois, recebo por telefone a notícia de que ela morreu. Ao saber pela voz de minha mãe as circunstâncias, estremeço com a escrita do destino, ou do acaso, se é que ambos não são faces da mesma moeda: tia Alda fora ao banco pagar uma conta, quando três assaltantes, entre eles uma mulher, renderam os seguranças e exigiram o dinheiro do cofre. A polícia cercou o banco e os ladrões fizeram dos clientes e funcionários seus reféns.

As negociações começaram, mas o tempo passava, e não evoluíam. Acuados, os assaltantes ameaçaram matar uma pessoa a cada meia hora, se não lhes facilitassem a fuga. Uma hora se passou e dois estampidos soaram; mas, como se soube mais tarde, eram só para assustar — ninguém se ferira.

Depois de um intenso silêncio, no instante em que os policiais invadiam o banco para libertar os reféns, tia Alda surgiu, inesperadamente, à porta, com armas nas mãos. Não teve tempo de dizer que convencera os assaltantes a se entregar. Confundindo-a com a cúmplice deles, os policiais, sem hesitar, crivaram-na de balas.

Não sabiam o que descobri, naquela tarde, com as suas palavras: que ela era uma vogal e, certamente, viera ali para abrir-lhes a passagem.

DOMINGOS PELLEGRINI

Inexorável. Inconsútil. Quantas e quantas vezes nos deparamos com palavras pomposas, cujo significado nem sempre conhecemos! O sentido real, porém, pode nada ter de grandioso ou ser bem diferente do que parece. O dicionário que o diga!

POBRES PALAVRAS

Lendo um romance, tropecei na palavra inexorável. É uma das que mantenho desconhecidas, desde rapazola quando peguei gosto de ler. Desconhecida porque, mesmo já tendo lido inexorável muitas vezes, nunca quis saber o sentido. Parece uma palavra em desuso, dessas que ficam lá nos velhos armazéns da língua, coberta de poeira, até que alguém pega e coloca numa frase como uma roupa num varal. O leitor é quem recolhe essas roupas, uma por uma, menos as que, como inexorável, a gente não sabe o que é, deixa lá, para que volte sozinha ao armazém e fique lá mofando até que...

Bem, desta vez fiquei com pena da pobre inexorável, fui ao dicionário. E inexorável é implacável. Eu já desconfiava disso, tantas vezes li que o destino é inexorável, e fiquei feliz porque o significado justifica a pompa da palavra. Porque a primeira vez que fui ao dicionário desvendar uma palavra, foi uma inenarrável (olha outra pomposa aí) decepção.

Era a palavra inconsútil. Em prosa e poesia, volta e meia lá vinha a inconsútil. Que diabo será, pensava eu, esperando um dia decifrar o enigma pela própria leitura, tantos inconsúteis se cruzando que produziriam um dia a luz do entendimento. Mas que nada, lá vinha mais e mais inconsútil e menos eu sabia o que seria. Um dia, já na casa dos quarenta, a barba começando a grisalhar, não aguentei mais aquelas três décadas de ignorância e fui ao dicionário. E inconsútil é apenas "sem costura". Tantos mantos inconsúteis e eu não conseguia ver algo em comum entre eles para achar o sentido da palavra, e eram apenas mantos sem costura... Fiquei acabrunhado (esta nem pomposa é, é atrapalhada mesmo).

Outro dia numa festa o cartunista Jota disse que sou idiossincrático, que era outra das minhas ilustres desconhecidas.

— Mas que é idiossincrático, Jota? Eu não sei.

— Gozador.

Fiquei sem saber se eu era um gozador ou se idiossincrático é gozador, o que daria no mesmo. Chegando em casa, fui direto ao dicionário, e continuo sem saber o que é idiossincrático, a não ser que entenda o que é idiossincrasia: "disposição particular do temperamento e constituição, em virtude da qual cada indivíduo sente inversamente os efeitos da mesma causa". A definição me deixou mais ignorante! Fora isso, só diz que a palavra vem do grego.

Lembro do professor Antoni Rosinski, no Instituto Filadélfia, tentando nos motivar a aprender sufixos e prefixos gregos e latinos. O Velho Antônio (em paródia a Belo Antonio) era neurótico de guerra e às vezes explodia, dizia que quem gosta de ser burro devia puxar carroça e outras pérolas pedagógicas. Hoje, acho que ele teria muito sucesso apenas dizendo que, sabendo sufixos e prefixos gregos e latinos, a gente pode acertar boa parte das perguntas do *Show do milhão*.

Lembro o poeta Glauco Mattoso jantando em minha casa em São Paulo e me dizendo que glauco vem do grego, significa verde. E Mattoso devia ser português, falei, mas por que o "t" dobrado? Glauco tinha óculos fundo de garrafa, perguntou se eu não sabia que ele tinha glaucoma. Não, não sabia.

— Pois é, sou um glaucomatoso — que é como se chama a pessoa com glaucoma. O "t" dobrado é só para fazer charme.

Tirou da doença o nome artístico. Deve haver alguma palavra pomposa para designar (olha outra) isso. Por conseguinte (mais uma), lembro de inelutável. Esta foi mantida desconhecida com carinho e desvelo, mas acho que chegou a hora, é inevitável saber o que é inelutável. Vou ao dicionário, e inelutável é inevitável. Diante disso, sem querer parecer idiossincrático, e por mais inexorável que pareça, mas tão inelutável como eram inconsúteis os mantos no tempo em que não existia máquina de costura, fico por aqui.

ARTUR AZEVEDO

Não saber algo não é motivo de vergonha. Basta perguntar, pesquisar, informar-se para aprender. Afinal, ninguém nasce sabendo. Vergonha é fazer como o personagem desta história: para manter a pose, ele finge conhecer o significado de uma palavra e dá o maior vexame.

PLEBISCITO

A cena passa-se em 1890.

A família está toda reunida na sala de jantar.

O senhor Rodrigues palita os dentes, repimpado numa cadeira de balanço. Acabou de comer como um abade.

Dona Bernardina, sua esposa, está muito entretida a limpar a gaiola de um canário belga.

Os pequenos são dois, um menino e uma menina. Ela distrai-se a olhar para o canário. Ele encostado à mesa, os pés cruzados, lê com muita atenção uma das nossas folhas diárias.

Silêncio.

De repente, o menino levanta a cabeça e pergunta:

— Papai, que é plebiscito?

O senhor Rodrigues fecha os olhos imediatamente para fingir que dorme.

O pequeno insiste:

— Papai?

Pausa:

— Papai?

Dona Bernardina intervém:

— Ó seu Rodrigues, Manduca está lhe chamando. Não durma depois do jantar que lhe faz mal.

O senhor Rodrigues não tem remédio senão abrir os olhos.

— Que é? Que desejam vocês?

— Eu queria que papai me dissesse o que é plebiscito.

— Ora essa, rapaz! Então tu vais fazer 12 anos e não sabes ainda o que é plebiscito?

— Se soubesse não perguntava.

O senhor Rodrigues volta-se para dona Bernardina, que continua muito ocupada com a gaiola:

— Ó senhora, o pequeno não sabe o que é plebiscito!

— Não admira que ele não saiba, porque eu também não sei.

— Que me diz?! Pois a senhora não sabe o que é plebiscito?

— Nem eu, nem você; aqui em casa ninguém sabe o que é plebiscito.

— Ninguém, alto lá! Creio que tenho dado provas de não ser nenhum ignorante!

— A sua cara não me engana. Você é muito prosa. Vamos: se sabe, diga o que é plebiscito! Então? A gente está esperando! Diga!...

— A senhora o que quer é enfezar-me!

— Mas, homem de Deus, para que você não há de confessar que não sabe? Não é nenhuma vergonha ignorar qualquer palavra. Já outro dia foi a mesma coisa quando

Manduca lhe perguntou o que era proletário. Você falou, falou, e o menino ficou sem saber!

— Proletário, acudiu o senhor Rodrigues, é o cidadão pobre que vive do trabalho mal remunerado.

— Sim, agora sabe porque foi ao dicionário; mas dou-lhe um doce, se me disser o que é plebiscito sem se arredar dessa cadeira!

— Que gostinho tem a senhora em tornar-me ridículo na presença destas crianças!

— Oh! Ridículo é você mesmo quem se faz. Seria tão simples dizer: — Não sei, Manduca, não sei o que é plebiscito; vai buscar o dicionário, meu filho.

O senhor Rodrigues ergue-se de um ímpeto e brada:

— Mas se eu sei!

— Pois se sabe, diga!

— Não digo para não me humilhar diante de meus filhos! Não dou o braço a torcer! Quero conservar a força moral que devo ter nesta casa! Vá para o diabo!

E o senhor Rodrigues, exasperadíssimo, nervoso, deixa a sala de jantar e vai para o seu quarto, batendo violentamente a porta.

No quarto havia o que ele mais precisava naquela ocasião: algumas gotas de água de flor de laranja e um dicionário...

A menina toma a palavra:

— Coitado de papai! Zangou-se logo depois do jantar! Dizem que é tão perigoso!

— Não fosse tolo — observou dona Bernardina — e confessasse francamente que não sabia o que é plebiscito!

— Pois sim — acode Manduca, muito pesaroso por ter sido o causador involuntário de toda aquela discussão — pois sim, mamãe; chame papai e façam as pazes.

— Sim! Sim! Façam as pazes! — diz a menina em tom meigo e suplicante. — Que tolice! Duas pessoas que se estimam tanto zangarem-se por causa do plebiscito!

Dona Bernardina dá um beijo na filha, e vai bater à porta do quarto:

— Seu Rodrigues, venha sentar-se; não vale a pena zangar-se por tão pouco.

O negociante esperava a deixa. A porta abre-se imediatamente. Ele entra, atravessa a casa, e vai sentar-se na cadeira de balanço.

— É boa! — brada o senhor Rodrigues depois de largo silêncio; — É muito boa! Eu! Eu ignorar a significação da palavra *plebiscito*! Eu!...

A mulher e os filhos aproximam-se dele.

O homem continua num tom profundamente dogmático:

— Plebiscito...

E olha para todos os lados a ver se há ali mais alguém que possa aproveitar a lição.

— Plebiscito é uma lei decretada pelo povo romano, estabelecido em comícios.

— Ah! — suspiram todos, aliviados.

— Uma lei romana, percebem? E querem introduzi-la no Brasil! É mais um estrangeirismo!...

IVAN ANGELO

Para um intransigente defensor da gramática não há descanso. Depois de anos lutando pela correção dos textos jornalísticos, livrando-os de crases indevidas e concordâncias discordantes, o incansável revisor parte para outro campo de batalha atrás dos inimigos da língua.

GUERRILHA URBANA

Algumas atividades entortam as pessoas. Umas entortam o corpo, como as pernas arqueadas dos caubóis, a corcunda dos alfaiates, os braços desiguais dos tenistas, os ombros dos nadadores, a lordose das bailarinas de *tchan music*. Outras atividades — como a de polícia, agente financeiro, jornalista — entortam a cabeça. Meu amigo era jornalista.

Era. Meio que pirou. Isto já é o meio da história, vamos ao começo. Era copidesque, do tempo em que o copidesque tinha poder nas redações: reescrevia, corrigia e titulava as matérias. Não possuía nenhum talento especial, a não ser a intimidade com a gramática. Nem era jornalista formado, havia parado no meio o curso de Direito, fascinado pela oportunidade de trabalhar na "cozinha da redação". Refogava concordâncias, descascava solecismos.

Chama-se Antônio. Por ser baixo virou Toninho. E pela devoção à gramática Toninho Vernáculo ficou sendo. Seu talento especial valeu-lhe uma promoção, de copidesque para chefe da revisão. Passou anos e anos corrigindo originais. Novas tecnologias invadiram as redações no final da década de 1980. Com os computadores, acabou-se a revisão. Ao leitor, as batatas.

Toninho Vernáculo foi deixado num canto, espécie de dicionário vivo. Recorriam a ele quando tinham preguiça de consultar o manual. Irritava-se. Então, meio que pirou. Achava que alguns tinham questões pessoais com a língua portuguesa, arranca-rabos com a sintaxe. Um não suportava a crase. Aquele tinha escaramuças com o infinitivo pessoal. Outro abominava a regência. Toninho não aguentou, aposentou-se.

Novos desafetos da língua passaram a provocá-lo pela televisão, em casa. O ator Antônio Fagundes vinha andando para a câmara e atacava de pleonasmo: "há muitos anos atrás investi no boi gordo". A repórter de feira dizia que "o" alface encareceu. Lula confiava "de que" o partido sairia fortalecido. O *jingle* publicitário apelava: "vem" pra Caixa você também! Toninho brigou com a tevê:

— É venha! Venha você! Vem tu!

Uma ótica anunciava: faça "seu" óculos... Meu amigo largou a tevê, pegou o jornal: vendas "à" prazo. Sentia-se acuado, pessoalmente agredido. Um dia, lendo Monteiro Lobato, topou com o conto "O colocador de pronomes", no qual o personagem sai pela cidade corrigindo pronomes mal colocados. Iluminou-se. Era um recado.

Hoje, Toninho Vernáculo é um dos dois ou três santos da ortografia que andam por São Paulo corrigindo o português nas placas das padarias, nos cardápios dos restaurantes populares, nos anúncios classificados dos jornais. Telefona para os anunciantes:

— Olha, vendas a prazo não tem crase. Não se usa antes de palavra masculina.

Telefona para as regionais da Prefeitura, exigindo a retirada do acento agudo de placas de ruas e praças: Traipu, Itapicuru, Pacaembu, Barra do Tibagi, Turiassu ("é com 'c' cedilhado", implora)... Centenas de casos. Há dias encontrei-o comprando tinta e escada. Anunciantes de cerveja não quiseram mudar um cartaz, tinham rido dele. É um advérbio em "mente" abreviado, disseram, significa redondamente, de modo redondo. Retrucou: por que não de maneira redonda? Outros opinaram: é locução, como "fala grosso". Protestou: chuva cai fininha, sol nasce quadrado, lua nasce quadrada. Riram. Resmungou: fiquem com a sua opinião, eu fico com a minha. Ia partir para a guerrilha armado de tinta e pincel, atacar os painéis de madrugada:

— Uísque é que desce redondo. Cerveja desce redonda!

MARCELO DUARTE

Imagine um professor aposentado de Língua Portuguesa no cargo de presidente de um tradicional time de futebol. Conseguiu imaginar?... Pois é, a equipe pode até não se tornar campeã em campo, mas as entrevistas dos jogadores jamais serão as mesmas...

OLHA O PLEONASMO!

O Dínamo, tradicional time de futebol do estado, estava há 17 anos sem conquistar um título. Pior: no último campeonato ficou ameaçado de cair para a Segunda Divisão. A oposição dentro do clube cresceu e escolheu o professor Ramalho para ser seu candidato à presidência. Ramalho era professor aposentado de Língua Portuguesa. Tinha tempo de sobra, portanto, para se dedicar a reerguer o time. Abertas as urnas, ganhou apertado, mas ganhou. Com a ajuda de amigos empresários, o cartola anunciou uma contratação de impacto para a temporada: o centroavante Zuba. A imprensa toda foi para a sede do clube acompanhar a primeira coletiva do craque:

— Esse sorriso nos meus lábios é para mostrar que o Dínamo vai sair para fora dessa situação — declarou, vestindo a camisa amarela e preta número 9 pela primeira vez.

Ao final da entrevista, guardião austero do bom português, o professor Ramalho passou pelo jogador e cochichou:

— Olha o pleonasmo!

Zuba não entendeu o que o presidente quis dizer. Ficou com um enorme ponto de interrogação na cara.

Na partida de estreia de Zuba, o Dínamo conseguiu uma vitória sobre o Atlântico, um de seus maiores rivais. O centroavante marcou dois gols. Foi eleito o melhor em campo e acabou cercado por repórteres na saída do campo:

— De agora em diante, vamos encarar de frente todos os nossos adversários!

O professor Ramalho, que havia entrado no gramado para abraçar seu goleador, esperou os repórteres se dispersarem e disse baixinho outra vez:

— Olha o pleonasmo!

O Dínamo começou a subir na tabela e logo Zuba se transformou no artilheiro do campeonato nacional. Passou a ser convidado para participar das mesas-redondas na TV. Em uma delas, teve a humildade de dividir os méritos da campanha com Tony, seu companheiro de time.

— Ele é o elo de ligação entre o meio de campo e o ataque do nosso time.

Ao sair da emissora, recebeu um torpedo no celular enviado pelo presidente:

— Parabéns pela entrevista. Muito boa. Mas olha o pleonasmo!

Com uma vitória atrás da outra, a torcida passou a prestigiar os jogos do Dínamo. O estádio estava sempre lotado. Zuba era sempre o mais aplaudido. Em campo, correspondia com gols e mais gols. Na semifinal, contra o Liberdade, não marcou, mas deu um passe primoroso para o ponta-esquerda Pedrão mandar para as redes.

— O que nos interessa é vencer. Se sou eu quem faz a conclusão final ou não, pouco importa.

À sua frente no vestiário, só que um pouco distante, ele enxergou o presidente, feliz da vida, mexendo os lábios. Não era preciso ser especialista em leitura labial para entender o que ele estava dizendo:

"Olha o pleonasmo!".

Chegou o dia da grande final. Estádio abarrotado, transmissão ao vivo pela TV. O Dínamo sofreu um sufoco no início, mas conseguiu equilibrar a partida no final do primeiro tempo. Os minutos iam passando e os dois times não paravam de perder chances. Até que, a oito minutos do final, Zuba entrou na área do Cometas e foi abalroado por um zagueiro. Pênalti marcado, apesar da chiadeira dos atletas do Cometas. Era a oportunidade de o Dínamo acabar com o jejum de títulos.

A torcida começou a gritar o nome de Zuba. Ele não fugiu da responsabilidade. Apanhou a bola e pediu para bater. E bateu com elegância. Bola num canto, goleiro no outro. Depois da volta olímpica, o artilheiro atendeu os inúmeros repórteres, que quase enfiavam os microfones em sua boca.

— Quero dedicar essa vitória em especial ao nosso presidente, professor Ramalho. Primeiro por ter acreditado no meu futebol e ter me contratado.

Procurou o dirigente com os olhos. Quando o encontrou, Zuba deu um sorrisinho e continuou:

— E quero, principalmente, agradecer a ele pela dica que me deu na hora de cobrar o pênalti.

O cartola ficou todo envaidecido. Mas... a qual dica o jogador estava se referindo? Zuba logo matou a charada:

— Quando corri para a bola, olhei bem nos olhos do goleiro adversário, apontei para um canto e disse: "Olha o pleonasmo!". Ele virou para o lado direito e eu mandei a bola no esquerdo.

RAUL DREWNICK

OGE NO AUMOSSO:
POUVO A PROVENSSAU

O que você sente ao testemunhar os "crimes" contra a língua portuguesa, tão comuns em tabuletas e anúncios espalhados por aí? Agora imagine como reage uma professora de português à antiga, amante da filologia e da gramática normativa, diante deles?

A PROFESSORA

Sárvio conheceu Ana Lúcia numa situação estranha. Estava caminhando apressadamente pelo centro da cidade, já um pouco atrasado para um encontro de negócios, quando, numa esquina, esbarrou numa mulher. O esbarrão foi tão forte que, por um instante, ele se surpreendeu por não ver a vítima desabar no chão.

Outra surpresa ele teve quando pediu desculpas à mulher e, já preparado para ouvir os palavrões que merecia, sentiu que ela parecia não haver percebido coisa nenhuma: nem a ação desastrada nem a tentativa de consertá-la.

Ela estava olhando para cima com tanta atenção que Sárvio decidiu olhar também. E o que viu não lhe pareceu nada empolgante: era apenas a placa de uma loja de artigos médicos e hospitalares. Enquanto ele tentava descobrir o motivo do interesse da mulher, ela se antecipou, perguntando:

— Viu aquilo?

Antes que ele pudesse dizer uma palavra, ela voltou a perguntar, impaciente:

— Viu aquilo?

Ele olhou de novo para cima, com mais interesse do que na primeira vez, mas só percebeu o que atraía a atenção da mulher quando ela disse:

— Que absurdo. Nunca vi coisa igual. Hérnia sem "h"!!!

Então ele fixou os olhos na placa da loja, bem no meio dela, e exclamou também:

— Que absurdo. Hérnia sem "h"!!!

Só aí notou que estava diante de uma mulher linda, uma das mais lindas que já tinha visto. Nesse momento, lembrando-se do encontro que tinha, chegou a dar dois passos para o lado, aflito para sair logo dali, mas parou, enfeitiçado, quando ela convidou:

— Quer ver outro absurdo?

Ele disse que queria ver, sim, e deixou-se levar por ela até uma esquina onde uma tabuleta, na calçada, trazia o cardápio de um restaurante vegetariano. Ali, ela pôs o dedo em cima de uma palavra e exclamou, com indignação:

— Chuchu com "x"! Não é uma loucura? Quem escreveu isto fugiu da escola...

Depois, moveu o dedo até outra palavra, um pouco acima, e acusou:

— Não é um crime isto? Berinjela com "g"!

Ele, apesar de não ser muito versado em jotas e gês, concordou. Era um crime. A mulher falava com tanta firmeza que só podia ser professora de português. Ela confirmou que era, quando ele perguntou. E disse ter apontado os erros da tabuleta ao dono do restaurante, que já havia prometido sua substituição.

Ela garantiu que, apesar dos erros da tabuleta, a comida lá era muito boa, ideal para quem queria manter-se saudável e em forma, e ele resolveu almoçar ali com ela, depois de telefonar para adiar o encontro de negócios. Já gozando as primeiras delícias da paixão, sentiu-se infeliz quando ela, ao saber que seu nome era Sárvio, franziu o rosto.

— Foi um erro de registro — ele explicou. — Era para ser Sálvio.

Ele não pôde franzir o rosto quando ela disse o nome. Que defeito podia haver em Ana Lúcia?

Enquanto comia sem vontade aqueles vegetais que ela devorava como se fosse uma coelhinha, recebeu outro golpe.

— Você sempre foi assim? — ela quis saber.

— Assim como?

— Assim gordinho.

— N... não. Eu engordei um pouco nos últimos dois anos. Antes, as pessoas me consideravam magérrimo.

— Magérrimo? Ah, eu não acredito.

— Não acredita por quê? Eu tenho fotos desse tempo.

— Você não entendeu. Você podia até ter cinquenta quilos, dois anos atrás. Mas magérrimo você não era.

Enquanto Sárvio se perguntava se, mesmo com toda aquela beleza, a mulher tinha o direito de duvidar assim de sua palavra, Ana Lúcia continuou:

— Magérrimo ninguém pode ser.

— Como assim? Do que você está falando?

— Estou falando de gramática. Pelas normas gramaticais, um homem pode ser magríssimo ou macérrimo.

Magérrimo, não. Magérrimo é uma forma condenada pela maioria dos filólogos.

— Fi... Filólogos?

Tentando lembrar o que era mesmo um filólogo, Sárvio, mais do que nunca, se sentiu burro, muito burro, burríssimo.

Ana Lúcia ia viajar naquela noite, para um seminário de três dias sobre Língua Portuguesa. Depois de muito insistir, ele conseguiu marcar encontro com ela para dali a duas semanas. Era pouco tempo, mas ele pretendia, em cada um daqueles dias, malhar, malhar muito. Pelo menos duas horas de manhã e duas horas à noite ia pedalar sua bicicleta ergométrica. E, enquanto estivesse pedalando, ia ler aquele livro de quase trezentas páginas que ele não abria desde o tempo de escola: a gramática da Língua Portuguesa. Afinal, se aquele seu professor do segundo grau tivesse razão, a crase, os verbos irregulares, o plural dos substantivos compostos e os superlativos talvez não fossem mesmo bichos de sete cabeças.

RUY CASTRO

Quantas expressões tidas como erradas você usou nos últimos dias, sem pensar no que dizia? A partir dessa questão, Ruy Castro critica o abuso de "então", de "com certeza" e, principalmente, do gerúndio, que *parece inglês, só que processado em internetês e reproduzido em analfabetês puro...*
São "manias" que estão enlouquecendo nossa língua e fazendo-nos falar — e escrever — *sem pensar.*

A POBRE LÍNGUA, DEFORMADA POR NOVAS MANIAS

Então... Quantas vezes hoje você já começou uma frase com "Então..."? (E com uma misteriosa pausa logo depois de dizer "então..." — donde as reticências.) Em todas as ocasiões, esse "então..." não significou absolutamente nada. Dizê-lo ou deixar de dizê-lo dava na mesma. Mas, se você o disse, é porque já chegou àquele perigoso estágio em que as palavras antecedem ao pensamento — tanto que nem se lembra de ter dito. Transfira isso para todas as vezes que falou sem pensar, opinou sem pensar ou acusou sem pensar, apenas porque as palavras se formaram espontaneamente na sua boca. Daí, digamos, a votar sem pensar é também um pulo.

Não tenho nenhuma birra generalizada contra o uso de "então". Como advérbio, fazendo as funções de nesse ou naquele tempo, é uma palavra linda: "O futebol de então era mais clássico". Mesmo como interjeição, dando continuidade a uma discussão suspensa e quase sempre significando um estímulo, tem tudo a ver: "Então, Fulano, vamos ou não vamos almoçar?". Mas tenho urticárias com esse abuso de entões como uma interjeição melíflua, que só serve para tapar um buraco na frase e não leva a lugar nenhum: "Então... Não sei se lavo o carro ou se vou comer um macarrão com a mamãe".

Assim como há pragas cíclicas de gafanhotos e de outros insetos na lavoura, "então..." é apenas uma das pragas recentes a infestar a língua. Nem é a pior. A pior, sem dúvida, é o abuso de "Com certeza!" — assim mesmo, com exclamação. O uso quase fanático de "Com certeza!" (de um ano para cá ou, pelo menos, foi então que o percebi) está quase condenando à morte outras expressões que, no passado, tanto nos valeram, como "Sem dúvida!", "Claro!", "Lógico!", "Óbvio!", "Positivo!", "Certo!" e até mesmo o "Certamente!", para não falar do humilde, miraculoso e perfeito "Sim!". Não há nenhum motivo para "Com certeza!" monopolizar as afirmações do vocabulário, exceto o fato de que, num processo galopante de degeneração da língua, estamos falando como zumbis, e os jovens, talvez, mais do que todos.

Comicamente, as pessoas passaram a exclamar "Com certeza!" até mesmo quando a frase que se segue não dá certeza de coisa nenhuma. "Fulano, você já comprou o disco do Supla?" "Com certeza! Mas antes preciso pedir o dinheiro pro meu pai." As sílabas se formam magicamente no aparelho fonador e as frases saem com a maior facilidade pela boca, sem a mínima interferência cerebral. Não há relação entre o pensamento e a palavra. Todos os processos lógicos, desenvolvidos desde Aristóteles, são destruídos por uma rastaquera frase feita, inventada e/ou adotada por não pensantes.

Não se sabe de onde saem essas manias. Mas sabe-se muito bem como elas são disseminadas: pela televisão. O terreno em que vicejam são os programas de auditório, os *talkshows* e os comerciais — estes, cada vez com maior frequência, interpretados por personagens debiloides. (E os atores que os interpretam devem ser ótimos, porque fazem muito bem o tipo.) Sem falar nos jogadores de futebol, cuja habilidade com a bola não tem, nem precisa ter, nenhuma relação com qualquer forma de inteligência.

As entrevistas nos intervalos ou no final das partidas são pândegas: "Fulano, como você explica os cinco gols que sua equipe sofreu nesse primeiro tempo?". "Com certeza! Nós já sabíamos que eles iam atacar pela direita, porque o professor *(sic)* tinha nos explicado *(sic)*. Mas ainda tem muito jogo, o grupo está fechado e vamos voltar para o segundo tempo e reverter esse resultado para alcançar nosso objetivo, que é a vitória!". Essa saraivada de clichês formou-se mecanicamente na glote do craque e saiu, impune, parecendo formar um pensamento. Mas foram apenas flexões das cordas vocais — nenhum neurônio foi convocado a atuar.

Jogadores de futebol falam discursos decorados, não porque se submetam a cursos de oratória no vestiário, mas porque são condicionados a falar assim por seus treinadores. Esses são os grandes geradores de clichês futebolísticos — principalmente os que se julgam muito espertos, como Luxemburgo ou Felipão. Compare seus discursos ocos com os de homens articulados, com diversos interesses extrafutebol, como Oswaldo de Oliveira e Carlos Alberto Parreira. E não cometerei a injustiça de confundir Romário, Leonardo ou Zinho com o grosso dos que jogam por aí. Mas, considerando-se que entre os brasileiros mais influentes da atualidade estão os jogadores de futebol e as louras pneumáticas, não é difícil imaginar para onde vai a pobre língua.

Entre muitos outros recentes aleijões impostos à língua, será preciso mencionar a epidemia de gerúndios? "Nós vamos estar te enviando...", "Eu vou estar te retornando...", "Ela vai estar te contatando...". Que raio de língua é essa? Português não é. Estruturalmente, parece inglês, só que processado em internetês e reproduzido em analfabetês puro e simples. E não vamos pôr a culpa nas secretárias ou telefonistas, categorias que, por força do hábito, têm um léxico próprio. Pode-se ouvir gente de todas as classes sociais falando desse jeito.

O abuso do gerúndio é uma agressão ainda mais cruel à língua porque fomos nós, brasileiros, que, no século XX, o salvamos da extinção a que ele parecia condenado em Portugal. E como o salvamos? Por uma sintonia fina de seu uso, aplicando-o com propriedade e quando necessário. Vem agora esse grotesco gerúndio cubista e ameaça escangalhar uma das mais criativas e funcionais peculiaridades da fala brasileira.

O escritor italiano Alberto Moravia disse certa vez que um dos grandes problemas de nosso tempo era o de que, agora, "até os analfabetos sabem ler". Pode ser — mas ainda não aprenderam a escrever. Há algumas semanas, vi várias vezes na imprensa o uso de "sofrível" com o sentido rigorosamente oposto ao seu verdadeiro sentido. "Sob Fulano de Tal, o time xis fez uma campanha sofrível: 15 jogos, 2 vitórias, 3 empates e 10 derrotas." Ora, isso não é sofrível. Ao contrário, é péssimo.

Seria sofrível se, em 15 jogos, o tal time tivesse conseguido 5 vitórias, 5 empates e 5 derrotas — ou seja, se tivesse ficado na média, no suportável, no "sofrível". Porque é isso que, segundo o Aurélio ou qualquer dicionário, significa sofrível: aquilo que se pode sofrer, que se consegue suportar. Os estudantes do passado conheciam muito bem esse significado: os professores avaliavam seu desempenho em ótimo, bom, sofrível, ruim ou péssimo (levar um sofrível para casa era garantia de boas chineladas). Com o abandono desses conceitos pelos colégios, a palavra saiu de uso e, depois de décadas de hibernação, volta agora com o sentido adulterado. Antes tivesse continuado a dormir.

E por que, de repente, "atrativo" deixou de ser um correto substantivo ("Um dos atrativos do Rio são as praias") para tornar-se, sem pedir licença, adjetivo? "O carro tal tem um preço bastante atrativo." Não que esteja de todo errado, mas, para designar algo com um poder de atração, sempre tivemos a bela palavra "atraente". Ou será melhor "atrativo" porque se parece mais com "attractive", que, em inglês, é sempre adjetivo e nunca substantivo?

Da mesma forma, cresce o número de gente falando em "audiência" para designar o público que vai a qualquer lugar (e não só quem está em casa, acompanhando o evento pela TV) e "audição" (em lugar de apresentação). É assim que, com o perdão do exemplo, "uma audiência de 100 mil pessoas compareceu não sei aonde para assistir à audição do padre Marcelo". É verdade que uma pessoa que sai de casa para assistir a uma "audição" do padre Marcelo merece fazer parte de uma "audiência", mas a Língua Portuguesa não é obrigada a ser submetida a essa tortura extra.

E, no caso de "bagatela", em que ficamos? "A estrela Nicole Kidman recebeu a bagatela de 20 milhões de dólares para rodar o filme xis", diz o jornal. Isso é pouco ou muito? Bagatela, no meu tempo, significava pouco. No tempo do Aurélio, também. Mesmo assim, fui conferir: "Bagatela. Do italiano *bagatella*. Ver ninharia". Bem, ninguém precisa ir ao dicionário para saber que ninharia quer dizer mixaria, insignificância. Donde bagatela só faz sentido se você estiver pagando barato por uma coisa cara. Mas nossos jornais, ultimamente, estão confundindo tudo. Mesmo nas páginas de economia (que se supõe sejam feitas por jornalistas que já ultrapassaram a bagatela dos 23 anos), costuma-se ler: "O Tesouro vai gastar a bagatela de 10 bilhões de reais para cobrir o rombo do banco tal".

Tudo bem, os números enlouqueceram e já estamos nos acostumando. Mas o que acontecerá quando as palavras também enlouquecerem?

RICARDO RAMOS

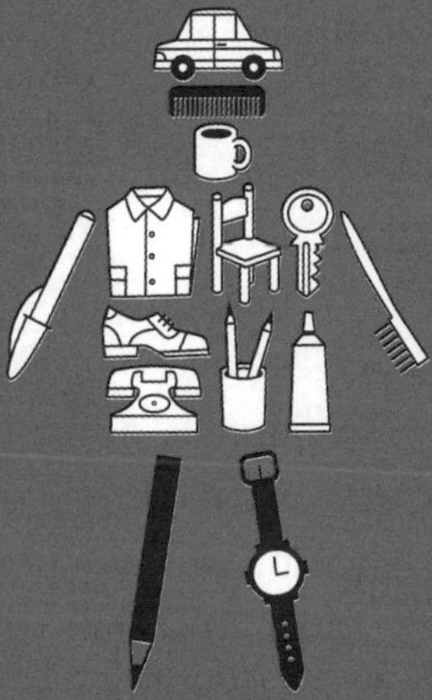

Você aprendeu na escola que para
nomear as coisas que nos cercam,
designar ações, sentimentos, ideias,
usamos os substantivos, não é?
Mas seria possível escrever uma história
só com substantivos? O que você vai
ler agora é uma verdadeira substantivação —
ou "coisificação" — da vida!

CIRCUITO FECHADO

Chinelos, vaso, descarga. Pia, sabonete. Água. Escova, creme dental, água, espuma, creme de barbear, pincel, espuma, gilete, água, cortina, sabonete, água fria, água quente, toalha. Creme para cabelo, pente. Cueca, camisa, abotoaduras, calça, meias, sapatos, gravata, paletó. Carteira, níqueis, documentos, caneta, chaves, lenço, relógio, maço de cigarros, caixa de fósforos. Jornal. Mesa, cadeiras, xícara e pires, prato, bule, talheres, guardanapo. Quadros. Pasta, carro. Cigarro, fósforo. Mesa e poltrona, cadeira, cinzeiro, papéis, telefone, agenda, copo com lápis, canetas, bloco de notas, espátula, pastas, caixas de entrada, de saída, vaso com plantas, quadros, papéis, cigarro, fósforo. Bandeja, xícara pequena. Cigarro e fósforo. Papéis, telefone, relatórios, cartas, notas, vales, cheques, memorandos, bilhetes, telefone, papéis. Relógio. Mesa, cavalete, cinzeiros, cadeiras, esboços de anúncios, fotos, cigarro, fósforo, bloco de papel, caneta, projetor de filmes, xícara, cartaz, lápis, cigarro, fósforo, quadro-negro, giz, papel. Mictório, pia, água. Táxi. Mesa, toalha, cadeiras, copos, pratos, talheres, garrafa, guardanapo, xícara. Maço de cigarros, caixa de fósforos. Escova de dentes, pasta, água. Mesa e poltrona, papéis, telefone, revista, copo de papel, cigarro, fósforo, telefone interno, externo, papéis, prova de anúncio, caneta e papel, relógio, papel, pasta, cigarro, fósforo, papel e caneta, telefone, caneta e papel, telefone, papéis, folheto, xícara, jornal, cigarro, fósforo, papel e caneta. Carro. Maço de cigarros, caixa de fósforos. Paletó, gravata. Poltrona, copo, revista. Quadros. Mesa, cadeiras, pratos, talheres, copos, guardanapos. Xícaras. Cigarro e fósforo. Poltrona, livro. Cigarro e fósforo. Televisor, poltrona. Cigarro e fósforo. Abotoaduras, camisa, sapatos, meias, calça, cueca, pijama, chinelos. Vaso, descarga, pia, água, escova, creme dental, espuma, água. Chinelos. Coberta, cama, travesseiro.

RACHEL DE QUEIROZ

Do jeito que as coisas vão, cada vez mais com palavras supostamente inglesas presentes em tudo, de cardápios de restaurantes a nomes de botecos de praia, a escritora desconfia que em breve o Brasil terá uma segunda língua. O inglês? Não. O *miamês*. Será?

O BILINGUISMO EMERGENTE

A gente já prevê que o nosso próximo passo será oficializar o inglês como língua do Brasil, com estatuto paralelo ao do português. E não é rabugice de velha escriba, é constatação fria e baseada nos fatos.

Pena é que essa bilingualidade (perdoem o neologismo) não nos tenha chegado, já não digo por meio erudito, mas pelo menos por oralidade consequente; o que recebemos é a gíria do "show business" (é proibido falar "espetáculo") da publicidade desenfreada (vide anúncios da televisão). E, pior que tudo, os nomes de lojas, de restaurantes, qualquer boteco de praia; até barraca de coco verde, arranjam nome com gosto ou cheiro de inglês.

Engraçado que essa voga frenética da língua dos americanos (porque o inglês, propriamente dito, não tem nada a ver com isso) não nos veio diretamente quando os americanos ganharam as guerras — a quente e a fria — e se fizeram donos do mundo. Não, a invasão tomou vulto posteriormente, de alguns anos para cá. Parece até uma epidemia: você abre um jornal, na página que outrora se chamava "diversões" ou "espetáculos", hoje tudo é incluído na expressão "show". Trate-se de espetáculo de música popular, de cantor lírico, de dançarinos, e até mesmo de teatro a sério — tudo é "show". Os cantores populares, até os caipiras, arranjaram um jeitinho de se batizarem no que supõem que é o inglês. Não cito nomes porque não quero ofender ninguém, só quero mesmo reclamar.

Quando eu era menina — e já faz tempo — a língua francesa ainda tinha muito prestígio social; não havia moça educada, cavalheiro de fino trato, que não falasse o seu pouquinho ou o seu muito de francês. Inglês era luxo raro, só para eruditos. Com o fim da Primeira Grande Guerra, que os americanos ajudaram a ganhar, o inglês foi aparecendo timidamente. Mas não estava no currículo obrigatório das normalistas, e não sei se, na época em que os rapazes faziam os "preparatórios", o inglês era obrigatoriamente exigido ou se era alternativo ao francês, para o vestibular das universidades. Havia, nesse tempo, aliás, muito poucas universidades no país. No Ceará, me lembro, só tínhamos Faculdades de Direito, Farmácia, Agronomia. Medicina se ia estudar na Bahia; Engenharia, no Rio.

A difusão popular do inglês começou realmente entre nós no tempo da guerra, com os soldados americanos estacionados nas suas bases em território brasileiro; e as principais difusoras da língua estrangeira eram as namoradas dos pracinhas ianques, as chamadas "coca-colas".

Mas, claro, o maior difusor não é soldado nem namorada — é, acima de tudo, a publicidade. O pior é que a publicidade brasileira assumiu indiscriminadamente a moda, e você pode estar vendendo um brim tecido em São Paulo e ele será chamado "jeans", um sorvete é "ice-qualquer coisa". Quase todos os produtores do mercado, as loterias, os projetos imobiliários, tudo tem nome em suposto inglês. No *menu* dos restaurantes (aliás ninguém diz mais *menu*) os pratos são quase todos americanizados, do *hot dog* ao *steak*. Até os pratos de massas italianas são servidos na versão anglicizada.

E a coisa piorou muito depois que passamos a ser colonizados por Miami; e ou, antes, depois que Miami desandou a se infestar de brasileiro. (A expressão não é minha, li essa queixa no colunista de um jornaleco de lá.) E pode ser ofensivo, mas é verdade: a corrida nacional para Miami não dá para nos envaidecer. Basta lembrar que uma das figuras proeminentes dessa emigração é o ex-presidente Collor, após o *impeachment* (viu, até eu também já estou dizendo *impedimento* em inglês!), e a sua turma mais chegada, que lá foram se consolar, lamber as feridas.

E se o fenômeno não tem volta, se é irremediável, a gente poderia ao menos pedir ao céu que ele mudasse um pouco de direção. Em vez de termos a nossa capital cultural do exterior localizada em Miami e arredores, por que não em Nova York? Mas os nossos *socialites* (mais inglês) e os emergentes em geral detestam Nova York (ou Noviorque, como eles dizem). Lá, a vida é mais cara, a cidade é imensa, as pessoas se perdem na anonimidade, não saem em noticiário dos jornais brasileiros, e também lá não tem quem fale português, nem ao menos quem entenda o nosso tipo de "inglês".

O mal é sem remédio, ai de nós. Ou "hélàs", como se dizia no tempo em que o francês era chique. Em *miamês* não sei como é.

WALCYR CARRASCO

Cuidado com o que você lê e ouve! Quem adverte é Walcyr Carrasco. Para ele, muitas palavras que estão na moda funcionam como verdadeiras armadilhas: servem para demonstrar a falsa sofisticação de uma pessoa ou para ludibriar o incauto consumidor.

SERÁ QUE SOU BOBO?

Ando perdido em uma selva de palavras. Existem termos destinados a dar a impressão de que algo não é exatamente o que é. Ou para botar verniz sobre uma atividade banal. Já estão, sim, incorporados no vocabulário. Servem para dar uma impressão enganosa. E também para ajudar as pessoas a parecer inteligentes e chiques porque parecem difíceis. Resolvi desvendar algumas dessas armadilhas verbais.

Seminovo — Já não se fala em carro usado, mas em seminovo. Vendedores adoram. O termo sugere que o carro não é tão velho assim, mesmo que se trate de uma Brasília sem motor. Ou que o câmbio saia na mão do comprador logo depois da primeira curva. É pura técnica de vendas. Vou guardá-lo para elogiar uma amiga que fez plástica. Talvez ela adore ouvir que está "seminova". Mas talvez...

Sale — É a boa e velha liquidação. As lojas dos shoppings devem achar liquidação muito chula. Anunciam em inglês. *Sale* quer dizer que o estoque encalhou.

A grife está liquidando, sim! Não se envergonhe de pedir mais descontos. Pode ser que não seja chique, mas aproveite.

Loft — Quando o *loft* surgiu, nos Estados Unidos, era uma moradia instalada em antigos galpões industriais. Sempre enorme e sem paredes divisórias. Vejo anúncios de *lofts* a torto e a direito. A maioria corresponde a um antigo conjugado. Só não tem paredes, para lembrar seu similar americano. É preciso ser compreensivo. Qualquer um prefere dizer que está morando em um *loft* a dizer em uma quitinete de luxo.

Cult — Não aguento mais ouvir falar que alguma porcaria é *cult*. O *cult* é o brega que ganhou *status*. O negócio é o seguinte: um bando de intelectuais adora assistir a filmes de terceira, programas de televisão populares e afins. Mas um intelectual não pode revelar que gosta de algo considerado brega. Então diz que é *cult*. Assim, se pode divertir com bobagens, como qualquer ser humano normal, sem deixar de parecer inteligente. Como conceito, próximo do *cult* está o *trash*. É o lixo elogiado. *Trash* é muito usado para filmes de terror. Um candidato a intelectual jamais confessa que não perde um episódio da série *Sexta-Feira 13*, por exemplo. Ergue o nariz e diz que é *trash*. Depois, agarra um saquinho de pipoca, senta na primeira fila e grita a cada vez que o Jason ergue o machado.

Workshop — É uma espécie de curso intensivo. Existem os bons. Mas o termo se presta a muita empulhação. Pois, ao contrário dos cursos, no *workshop* ninguém tem a obrigação de aprender alguma coisa específica. Basta participar. Muitas vezes botam um sujeito famoso para dar palestras durante dois dias seguidos. Há alunos que chegam a roncar na sala. Depois fazem bonito dizendo que participaram de um *workshop* com fulano ou beltrano. A palavra é imponente, não é?

Releitura — Ninguém, no meio artístico ou gastronômico, consegue sobreviver sem usar essa palavra. Está em moda. Fala-se em releitura de tudo: de músicas, de receitas, de livros. Em culinária, releitura serve para falar de alguém que achou uma receita antiga e lhe deu um toque pessoal. Críticos culinários e donos de restaurantes badalados adoram falar em cardápios com releitura disso e daquilo. Ora, um cozinheiro não bota seu tempero até na feijoada? Isso é releitura? Então minha avó fazia releitura e não sabia, coitada. O caso fica mais complicado em outras áreas. Fazer uma releitura de uma história não é disfarçar falta de ideia? Claro que existem casos e casos. Mas que releitura serve para disfarçar cópia e plágio, serve. Seria mais honesto dizer "adaptado de..." ou "inspirado em...", como faziam antes.

Daria para escrever um livro inteiro a respeito. Fico arrepiado quando alguém vem com uma conversa abarrotada de termos como esses. Parece que vão me passar a perna. Ou a culpa é minha, e não sou capaz de entender a profundidade da conversa. Nessas horas, fico pensando: será que sou bobo? Ou tem gente esperta demais?

MACHADO DE ASSIS

Imagine-se numa lanchonete, pedindo carne moída ligada com ovo, de forma arredondada e frita com uma fatia de queijo! Estranho? Agora, se você pedir um *X-Burguer*... Alguns estrangeirismos e neologismos — palavras novas — de tão familiares já fazem parte da nossa língua. E isso não é de hoje. Veja só o que escreveu Machado de Assis, no século XIX.

NEOLOGISMOS E ESTRANGEIRISMOS*

Bons dias!

Pego na pena com bastante medo. Estarei falando francês ou português? O Sr. Dr. Castro Lopes, ilustre latinista brasileiro, começou uma série de neologismos, que lhe parecem indispensáveis para acabar com palavras e frases francesas. Ora, eu não tenho outro desejo senão falar e escrever corretamente a minha língua; e se descubro que muita coisa que dizia até aqui não tem foros de cidade, mando este ofício à fava, e passo a falar por gestos.

Não estou brincando. Nunca comi *croquettes*, por mais que me digam que são boas, só por causa do nome francês. Tenho comido e comerei *filet de boeuf*, é certo, mas com restrição mental de estar comendo *lombo de vaca*. Nem tudo, porém, se presta a restrições; não poderia fazer o mesmo com as *bouchées de dames*, por exemplo, porque *bocados de senhoras* dá ideia de antropofagia, pelo equívoco da palavra. Tenho um chambre de seda,

* *Título especialmente atribuído para esta edição.*

que ainda não vesti, nem vestirei por mais que o uso haja reduzido a essa simples forma popular a *robe de chambre* dos franceses.

Entretanto há nomes que, vindo embora do francês, não tenho dúvida em empregar, pela razão de que o francês apenas serviu de veículo; são nomes de outras línguas. E todo o mal não é a origem estrangeira, mas francesa. O próprio Dr. Castro Lopes se padecer de *spleen*, não há de ir pedir o nome disto ao general Luculo; tem de sofrê-lo em inglês. Mas é inglês. É assim que ele aprova *xale*, por vir do persa; conquanto, digo eu, a alguns parece que o recebemos de Espanha. Pode ser que esta mesma o recebesse de França, que, confessadamente, o recebeu de Inglaterra, para onde foi das partes do Oriente. *Schawl*, dizem os bretões; a França não terá feito mais que tecê-lo adoçá-lo exportá-lo. Deslindem o caso, e vamos aos neologismos.

Cache-nez é coisa que nunca mais andará comigo. Não é por me gabar; mas confesso que há tempos a esta parte entrei a desconfiar que este pedaço de lã não me ficava bem. Um dia procurei ver se não acharia outra coisa e andei de loja em loja. Um dos lojistas disse-me no estilo próprio do ofício:

— Igual, igual não temos; mas no mesmo sentido, posso servi-lo.

E, dizendo-lhe eu que sim, o homem foi dentro, e voltou com um livro português, antigo, e ali mesmo me leu isto, sobre as mulheres persianas: "O rosto, não descobrem nunca fora de casa, trazendo-o coberto com um cendal ou *guarda-cara*...".

— Este guarda-cara é que lhe serve, disse ele. *Cache-nez* ou guarda-cara é a mesma coisa; a diferença é que um é de seda, e o outro de lã. É livro de jesuíta, e tem dois séculos de composição (1663). Não é obra de francelho ou tarelo, como dizia o Filinto Elísio.

Sorriu-me a troca, e estive a realizá-la, quando me apareceu o *focáler* romano, proposto pelo Sr. Dr. Castro Lopes; e bastou ser romano, para abrir mão do outro que era apenas nacional.

O mesmo se deu com *preconício*, outro neologismo. O Sr. Dr. Castro Lopes compôs este, "porque a todos os homens de letras que falam a língua portuguesa, foi sempre manifesta a dificuldade de achar um termo equivalente à palavra francesa *reclame*".

Confesso que não me achei nunca em tal dificuldade, e mais sou relojoeiro. Quando exercia o ofício (que deixei por causa da vista fraca), compunha anúncios grandes e pomposos. Não faltava quem me acusasse de fazer *reclame* para vender os relógios. Ao que eu respondia sempre:

— Faça-me o favor de falar português. *Reclamo* é o que eu emprego, e emprego muito bem; porque é assim que se chama o instrumento com que o caçador busca atrair as aves; às vezes, é uma ave ensinada para trazer as outras ao laço. Se não quer *reclamo*, use *chamariz*, que é a mesma coisa. E olhe que isto não está em livros velhos de jesuítas, anda já nos dicionários.

Contentava-me com aquilo; mas, desde que vi o recente *preconício*, abri mão de outro termo, que era o nosso, por este alatinado.

Nem sempre, entretanto, fui severo com artes francesas. *Pince-nez* é coisa que usei por largos anos, sem desdouros. Um dia, porém, queixando-me do enfraquecimento da vista, alguém me disse que talvez o mal viesse da fábrica. Mandei logo (há uns seis meses) saber se havia em Portugal alguma *luneta-pênsil,* das que inventara Camilo Castelo Branco, há não sei quantos anos. Responderam-me que não. Camilo fez dessas lunetas, mas a concorrência francesa não consentiu que a indústria nacional pegasse.

Fiquei com o meu *pince-nez,* que, a falar verdade, não me fazia mal, salvo o suposto de me ir comendo a vista, e um ou outro apertão que me dava no nariz. Era francês, mas não cuidando a indústria nacional de o substituir, não havia eu andar às apalpadelas. Vai senão quando, vejo anunciados os *nasóculos* do nosso distinto autor. Lá fui comprar um, já o cavalguei no nariz, e não me fica mal. Daqui a pouco, ver-me-ão andar pela rua, teso como um *petit-maître*... Perdão, petimetre, que é já da nossa língua e do nosso povo.

Boas noites.

7/mar./1889

IVAN JAF

Gírias, estrangeirismos e erros gramaticais são considerados por muitos ameaças à língua portuguesa. Mas a ausência de plural na fala seria mesmo um prenúncio do fim do nosso idioma? Conheça a opinião de um estranho professor que vive seu dia de índio.

UM FUTURO SINGULAR

Senhor diretor, estou escrevendo esta carta porque temo pela minha saúde mental, e se algo acontecer comigo quero que todos saibam o motivo, principalmente o senhor, do qual eu esperava toda a compreensão, já que partilha comigo a crença de que só com um profundo respeito à gramática da língua portuguesa construiremos uma nação desenvolvida. O caso, senhor, é que o Grande Pajé está me perseguindo, e tenho certeza de que neste exato momento ele está ali, do outro lado da janela, escondido entre as folhas da amendoeira... e não resistirei a mais um ataque... Minhas força... forçaS!... estão se esgotando!

Sempre fui um dedicado professor de português, o senhor me conhece bem, tantas vezes me elogiou... Trabalho no ensino fundamental de sua escola há mais de vinte anos! Desde quando ainda se dizia "1° grau"! Sempre tive devoção pela língua portuguesa! É uma verdadeira religião para mim! Luto contra as gírias, os estrangeirismos e os erros gramaticais como um cristão contra os hereges! Minha luta pelo emprego do português correto é uma verdadeira cruzada! Uma guerra santa! E agora, quando mais preciso de apoio, quando descubro o verdadeiro inimigo por trás da falência a que o nosso idioma pátrio está condenado, quando passo a sofrer ameaças diretas do Grande Pajé, o senhor me abandona, e, em vez de se aliar a mim numa batalha sem trégua pelo resgate de nossa língua, em vez de acreditar em mim, francamente... me manda procurar um psiquiatra!

Mas não entregarei os ponto! Os pontoS! Minha mente morrerá lutando! Se o Grande Pajé afinal conseguir seu intento, e plantar à força a semente da língua Tupi dentro da minha cabeça, através desta carta o povo brasileiro saberá que lutei até o fim!

Tudo começou naquela tarde de sábado, quando fui lavar meu carro e o rapaz me cobrou "dez real". Depois deixei o carro numa vaga, e me custou "dois real". O camelô me ofereceu "três cueca", minha empregada tinha pedido "quatro quilo de batata", o feirante me ofereceu "seis limão", outro gritou "os peixe tão fresco!"; depois, meu porteiro se prontificou a levar "as sacola" até o elevador e deu o recado de que "meus filho" ainda não tinham chegado "das compra". Desesperado, me dei conta de que os plurais estavam sumindo!

É claro que eu já havia percebido isso antes! Sou muito sensível aos erro... erroS de português! Mas só naquele sábado entendi o motivo. A coisa me veio assim, num estalo: a língua tupi está se infiltrando na mente do povo brasileiro!

Devia ter pensado nisso antes. Era evidente!

Não chego a ser um tupinólogo, mas naquele sábado subitamente lembrei-me de que uma das características da língua tupi é a ausência de plural! Uma estranha intuição me fez iniciar uma pesquisa na internet, e eis que logo me deparo com uma declaração do conceituado crítico literário Alfredo Bosi: "O tupi vive subterraneamente na fala de nosso povo... É nosso inconsciente selvagem e primitivo". Levei as mão... mãoS à cabeça! Eu havia encontrado a resposta! O tupi estava voltando! A língua tupi, depois de mais de dois séculos extirpada de nosso convívio, brotava agora das profundezas do inconsciente coletivo e começava a se manifestar na fala do povo! E o primeiro sinal era a abolição do plural!

Quando lhe revelei minha descoberta o senhor riu, achou que eu estava brincando. Depois, achou que eu precisava casar de novo. Disse que a minha recente separação estava afetando meu juízo. Então eu lhe mandei aquele extenso e-mail, lembra? O resultado de minha pesquisa... um resumo da importância histórica do tupi entre nós.

Pouca gente se dá conta! Nos primeiros dois séculos depois da chegada de Cabral só se falava tupi, do Maranhão até o Paraná. Naqueles tempos era comum o casamento entre portugueses e índias, e, como eram elas que educavam os filhos, o tupi tornou-se a língua falada. O português era a língua culta, ensinada nas escolas, e pouca gente o usava. Tupi era o idioma do povo, enquanto o português só se usava entre os governantes e para os negócios com a metrópole. Era em tupi que se passavam recibos, o comércio fazia seus balanços e se escreviam cartas. Era em tupi que os bandeirantes se comunicavam. Domingos Jorge Velho nem sabia falar português! Até o século XVII, mesmo os membros das famílias tradicionais falavam tupi entre si, a ponto de ser preciso intérpretes nas leituras de inventários, pois os herdeiros não sabiam português! E então tudo isso acabou. Uma língua foi extirpada da nação! E como? Por um decreto!

Em 1758 o marquês de Pombal, interessado em acabar com o poder dos jesuítas e em assegurar o domínio de Portugal em sua colônia, proibiu o uso do tupi entre nós!

Escuto o farfalhar das folhas da amendoeira. O Grande Pajé está lendo os meus pensamento. PensamentoS! Não! Não vou me calar!

Idiomas não se acabam por decreto! O tupi continuou entre nós! Até hoje usamos mais de vinte mil vocábulos tupis. São principalmente as expressões em tupi que tornam nosso português diferente do de Portugal! Tupi é a segunda língua a nomear lugares em nosso país!

O senhor me mandou procurar um psiquiatra quando o segurei pelos ombros e lhe pedi para me ajudar a alertar as autoridades sobre o Grande Pajé! Agora pode ser tarde! Eu sou o único que sabe o que está acontecendo... mas talvez esta noite... eu não resista... e a alma tupi também me atinja... e eu comece a perder o plural!

O senhor é cego, diretor?

A língua é a alma do povo! Pode até se acabar com a língua por decreto, mas não com a alma. Olhe em volta! Estamos voltando a ser tupis! Descansamos em redes! Usamos o mínimo de roupa possível! A maior parte das palavras tupis é constituída de duas sílaba. Meus filhos voltaram da casa de praia do novo namorado da minha ex-mulher falando Saqua, em vez de Saquarema! Lembra de Jorge Benjor cantando "Mor num patropi"?

E o que me diz de um ex-presidente declarando "chega de nhenhenhém neoliberal"? Por que "nhenhenhém", e não "conversa jogada fora"? E "jururu", "pixaim", "pindaíba", "mingau" e "pipoca" que escutamos em cada esquina? Isso não lhe diz nada?

Não sei se vou conseguir chegar ao fim desta... Vamos perder a capacidade de flexionar em gênero e grau! Eu sei como acontece! O Grande Pajé entra em nossas cabeça e... O senhor não quer me dar ouvido! Primeiro perdemos os plural! É o primeiro sintoma de que o Grande Pajé está nos abduzindo! Escute... o nosso próprio presidente da República! Ele já não usa o plural e ninguém se incomoda! O que virá depois? Vamos contar até quatro, e o que passar de quatro será só "muitos"? Usar a letra A para qualquer coisa que for redonda? Vamos perder os tempo verbais dos nossos lindo verbo? Lá se vão as desinência? Vamos perder as distinção de gênero gramatical de nossos pronome? Como alertou Pero de Magalhães Gândavo, em 1553... vamos perder a letra F, o L e o R, que não existe no tupi?

É a vingança dos tupis! Minhas força já me faltam! Do meu salário desse mês, deposite quinhentos real na conta da mãe dos meus filho. As folha da amendoeira já nem balançam! O *an* Grande Pajé entrou na minha cabeça. Já vejo seu *tobá*. Ele me *tará*. Vou *sesaráîa* o português. *Mamõ-pe nde rera*? O senhor é meu novo *Túba*. *Pá*! *Pá*!

an = fantasma
tobá = rosto
tara = apanhar
sesaráîa = esquecer
mamõ-pe nde rera = qual é o seu nome
túba = pai
pá = sim

ROSANA HERMANN

Inglês, português. E internetês, você conhece? Na verdade, nem é uma língua, é uma gíria surgida na internet, baseada na simplificação informal da escrita, para agilizar a digitação. Odiado por uns, amado por outros, o internetês, como variedade linguística, deve ser respeitado, mas, olhe lá, nem por isso ele deve sair do mundo digital. No papel, nem pensar!

A MENINA QUE FALAVA INTERNETÊS

A mãe gostava de acreditar-se moderna. Do figurino à linguagem, esforçava-se para estar sempre *up-to-date* com as últimas tendências da moda. Seus objetivos eram claros: criar uma imagem de mulher mais jovem e fazer bonito para os filhos, os reis da tecnologia doméstica, que dominavam tudo na casa, dos controles remotos dos aparelhos eletrônicos aos computadores e *laptops*. Foi o propósito de não perder o bonde da história que levou Wanda a comprar um computador pessoal, assinar um provedor de acesso e começar a navegar pela internet. Nada poderia detê-la rumo à modernidade!

Depois de alguns dias, navegando em seu trabalho, encontrou sua filha pré-adolescente *on-line*. Não resistiu à tentação e iniciou uma conversa através de um programa de mensagens instantâneas.

— Olá, filha, aqui é a sua mãe, navegando pela internet... Tudo bem com você, querida?

— blz.

— Como? Não entendi, filhinha. Seu teclado está com algum problema nas vogais?

— naum.

— Vejo que não é este o problema, já que você digitou duas vogais agora mesmo! Mas pode ser um defeito nas teclas de acentuação. Por favor, filha, teste o "til".

— q tio?

— Não, não o tio, o til. O tio é o irmão do papai, o tio Bruno. O til é aquele acento do não, do anão, da mamãe... Lembra quando a mamãe ensinou a você que o til parecia uma minhoquinha?

— nem

— Nem? Como assim, "nem"? Nem no sentido de conjunção coordenativa aditiva como em "não lembro nem quero lembrar"? Ou seria "nem" como conjunção coordenativa alternativa, como em "não me lembro e nem parece uma minhoquinha"?

— ;-(

— Que foi isso, filhota?

— naum quero + tc com vc

— Você... não quer mais tecer comigo?

— teclar

— Assim mamãe fica triste, lindinha. Eu só queria conversar, puxar algum assunto. Mas está difícil. Eu não entendo o que você escreve e você não se interessa pelo que eu digito. Realmente, meu bem, parece que não é possível estabelecer um diálogo com você. Tudo bem, se eu estiver incomodando, eu paro agora mesmo.

— tá

— Antes de ir pra casa eu vou passar no supermercado. O que você quer que eu compre para... para... para vc? É assim que se diz em internetês?

— refri e bisc8

— Refrigerante e biscoito? Biscoito? Filha, francamente, que linguagem é essa? Você estuda no melhor colégio, seu pai paga uma mensalidade altíssima e você escreve assim na internet? Sem vogais, sem acentos, sem completar as palavras, sem usar maiúsculas no início de uma frase, com orações sem nexo e ainda por cima usando números no lugar das sílabas? Isso é inadmissível, Maria Eugênia!

— Xau, mãe, c tá xata.

— Maria Eugênia! Chata é com ch!

—

— Maria Eugênia?

—

— Desligou. Bem, pelo menos a tecla til está em ordem.

ANDRÉ LAURENTINO

O escritor está em dúvida: que
língua deve usar quando o sol se põe?
Fosse dia, usaria a *língua suada, ensopada de precisão*, mas, não, é noite. E, quem
traz a *lua da língua* na língua, sabe: *tudo é possível na escuridão...* e na poesia.
É a tal da função poética da linguagem.

A LUA DA LÍNGUA

Existe uma língua para ser usada de dia, debaixo da luz forte do sentido. Língua suada, ensopada de precisão. Que nós fabricamos especialmente para levar ao escritório, e usar na feira ou ao telefone, e jogar fora no bar, sabendo o estoque longe de se acabar. Língua clara e chã, ocupada com as obrigações de expediente, onde trabalha sob a pressão exata e dicionária, cumprimentando pessoas, conferindo o troco, desfazendo enganos, sendo atenciosamente sem mais para o momento. É a língua que Cristina usou para explicar quem quebrou o cabo da escova na pia do banheiro, num dia de sol em Fortaleza. Ou a língua empregada pelas aeromoças nos avisos mecanicamente fundamentais. Língua comum; mútua e funcionária. Língua diária; isto é, língua à luz do dia.

Mas no entardecer da linguagem, por volta das quatro e meia em nossa alma, começa a surgir um veio leve de angústia. As coisas puxam uma longa sombra

 na memória, e a própria palavra *tarde* fica mais triste e

morna, contrastando com o azul fresco e branco da palavra *manhã*. À tarde, a luz da língua migalha. E, por ser já meio escura, o mundo perde a nitidez. Calar, a tarde não se cala, mas diz menos o que veio a dizer. Por isso, poucas vezes se usa esta língua rouca do ciciar das cigarras, que cede à luz minguante da sintaxe, mas meio bêbada de escuridão.

É a que frequenta os cartões de namoro, as confissões, as brigas e os gritos, ou a atenção desajeitada de velórios, também os momentos relevantes em vidas sem relevo, ou está nas palavras sussurradas entre os lençóis (ou ao pé dos muros nos bairros mais distantes) sob o calor da noite. Mas noite aqui, na face da Terra; que é bem diferente da noite nos breus de uma língua.

Pois quando a língua em si mesma anoitece, o escuro espatifa o sentido. O sol, esfacelado, vira pó. E a linguagem se perde dos trilhos de por onde ir. Tateia, titubeia e, com alguma sorte, tropeça, esbarrando em regras, arrastando a mobília das normas, e deixando no carpete apenas as marcas de onde um dia estiveram outros móveis. À noite sonha nossa língua.

O céu da boca, onde essa noite se forma, não tem estrelas de tão preto. É onde as palavras guardam ainda seu cheiro de pensamento. E têm a densidade vazia das idéias vagas, condensando-se invisivelmente como nuvens de um céu sem luz. No calor tempestuoso dessas noites, é possível a bailarina ser feita de borracha e pássaro. José Ribamar põe aves dentro dos frutos maranhenses. E Murilo solta os pianos na planície deserta. Tudo é dito e tudo é silêncio, distante dos ruídos do dia. Existe o verbo, existe o verso. Existe a canção. Rosa mineira do Lácio.

Tudo é possível na escuridão, sombra que alumbra; penumbra. Luz negra da noite.

Quando abrimos a boca, a língua amanhece.

PAULO LEMINSKI

Todo mundo se lembra — nem sempre com saudades, é verdade — de algum metódico professor de análise sintática. Mas, pergunto, você teria coragem de analisar o seu? O poeta teve. O resultado? Leia e verá! Cuidado, porém, com os objetos diretos desse texto, pois eles podem ser perigosos!

MEU PROFESSOR DE ANÁLISE SINTÁTICA

Meu professor de análise sintática era o tipo do
[sujeito inexistente.
Um pleonasmo, o principal predicado da sua vida,
regular como um paradigma da 1ª conjugação.
Entre uma oração subordinada e um adjunto
[adverbial,
ele não tinha dúvidas: sempre achava um jeito
assindético de nos torturar com um aposto.
Casou com uma regência.
Foi infeliz.
Era possessivo como um pronome.
E ela era bitransitiva.
Tentou ir para os EUA.
Não deu.
Acharam um artigo indefinido em sua bagagem.
A interjeição do bigode declinava partículas
[expletivas,
conectivos e agentes da passiva, o tempo todo.
Um dia, matei-o com um objeto direto na cabeça.

REFERÊNCIAS BIBLIOGRÁFICAS

ANGELO, Ivan. *O comprador de aventuras*. São Paulo: Ática, 2003. pp. 20-22.

ASSIS, Machado de. *Crônicas escolhidas*. São Paulo: Ática e *Folha de S. Paulo*, 1994. pp. 111-114.

AZEVEDO, Artur. *Contos escolhidos*. São Paulo: Klick Editora, 1997. pp. 49-52.

BETTO, Frei. *Alfabetto*. São Paulo: Ática, 2002. pp. 118-121.

BRANDÃO, Ignácio de Loyola. *Calcinhas secretas*. São Paulo: Ática, 2003. pp. 47-49.

CARRASCO, Walcyr. *Pequenos delitos e outras crônicas*. Rio de Janeiro: Best Seller, 2004. pp. 171-173.

CASTRO, Ruy. *O Estado de S. Paulo*, São Paulo, 12 jan. 2002, Caderno 2.

DIAFÉRIA, Lourenço. *O imitador de gato*. São Paulo: Ática, 2003. pp. 16-17.

LEMINSKI, Paulo. *Melhores poemas*. São Paulo: Global, 1997. p. 28.

PELLEGRINI, Domingos. *Ladrão que rouba ladrão*. São Paulo: Ática, 2002. pp. 87-89.

QUEIROZ, Rachel de. *Falso mar, falso mundo*. São Paulo: Arx, 2002. pp. 207-209.

RAMOS, Ricardo. *Entre a seca e a garoa.* São Paulo: Ática, 1998. pp. 41-42.

SCLIAR, Moacyr. *Minha mãe não dorme enquanto eu não chegar.* Porto Alegre: L&PM, 1996. pp. 87-91.

VERISSIMO, Luis Fernando. *O analista de Bagé.* Porto Alegre: L&PM, 1999. pp. 51-53.

Os textos de André Laurentino, Ivan Jaf, João Anzanello Carrascoza, Marcelo Duarte, Raul Drewnick e Rosana Hermann foram escritos especialmente para este livro.

OS ORGANIZADORES

Carmen Lucia Campos é editora e escritora. Nílson Joaquim Silva é jornalista, professor de Português e escritor. Parceiros em vários trabalhos, foi o amor pela literatura e o fascínio pelos textos que os levaram a organizar antologias juntos. Antes desta, *Lições de gramática para quem gosta de literatura*, foram três, adotadas em muitas escolas de todo o país e selecionadas em programas de governo: *Gente em conflito* e *Já não somos mais crianças*, pela Editora Ática, e *Grandes amigos — Pais e filhos*, pela Panda Books. Gostaram da brincadeira e não pretendem parar com ela tão cedo. Agora, estão enfrentando um novo desafio: escrever uma história juvenil a quatro mãos.

Em projetos conjuntos ou individuais, uma coisa é certa: as palavras escritas sempre serão suas aliadas.